La Guerre des vins :
l'affaire Mondavi

Du même auteur :

PME : de nouvelles approches, Economica, 1998.

Les PME, Flammarion, 1999.

Économie d'Entreprise : organisation, stratégie et territoire à l'aube de la nouvelle économie, Economica, 2e édition, 2004.

Olivier TORRÈS

La Guerre des vins : l'affaire Mondavi

Mondialisation et terroirs

Avec la collaboration de Dorothée Yaouanc

DUNOD

À la mémoire
de Jeanne Gavet-Torrès

Le pictogramme qui figure ci-contre mérite une explication. Son objet est d'alerter le lecteur sur la menace que représente pour l'avenir de l'écrit, particulièrement dans le domaine de l'édition technique et universitaire, le développement massif du photocopillage.
Le Code de la propriété intellectuelle du 1er juillet 1992 interdit en effet expressément la photocopie à usage collectif sans autorisation des ayants droit. Or, cette pratique s'est généralisée dans les établissements d'enseignement supérieur, provoquant une baisse brutale des achats de livres et de revues, au point que la possibilité même pour les auteurs de créer des œuvres nouvelles et de les faire éditer correctement est aujourd'hui menacée.
Nous rappelons donc que toute reproduction, partielle ou totale, de la présente publication est interdite sans autorisation de l'auteur, de son éditeur ou du Centre français d'exploitation du droit de copie (CFC, 20, rue des Grands-Augustins, 75006 Paris).

DANGER
LE PHOTOCOPILLAGE TUE LE LIVRE

© Dunod, Paris, 2005
ISBN 2 10 048869 4

Le Code de la propriété intellectuelle n'autorisant, aux termes de l'article L. 122-5, 2° et 3° a), d'une part, que les « copies ou reproductions strictement réservées à l'usage privé du copiste et non destinées à une utilisation collective » et, d'autre part, que les analyses et les courtes citations dans un but d'exemple et d'illustration, « toute représentation ou reproduction intégrale ou partielle faite sans le consentement de l'auteur ou de ses ayants droit ou ayants cause est illicite » (art. L. 122-4).
Cette représentation ou reproduction, par quelque procédé que ce soit, constituerait donc une contrefaçon sanctionnée par les articles L. 335-2 et suivants du Code de la propriété intellectuelle.

TABLE DES MATIÈRES

On ne met pas du vin nouveau
dans de vieilles outres.

Évangile selon Saint Matthieu

« Tel qui laisse volontiers le gouvernement de
toute la nation dans la main d'un maître,
regimbe à l'idée de n'avoir pas à dire son mot
dans l'administration de son village »

Le Français selon Alexis de Tocqueville

AVANT-PROPOS

Cette histoire qui a été relayée par la presse du monde entier est digne de *Clochemerle*[1], ce roman de l'entre-deux guerres qui relatait l'histoire d'un petit village du Beaujolais s'entre-déchirant au sujet d'un urinoir. Ici, le projet est moins dérisoire. Il s'agit de l'implantation en Languedoc-Roussillon du Californien Robert Mondavi, pionnier de la Napa Valley, cette région de Californie qui produit des vins pouvant rivaliser avec les meilleurs crus français.

Au départ, tout le monde semblait gagnant. Le groupe Mondavi qui allait produire un vin d'exception, la coopérative locale qui pouvait bénéficier du savoir-faire commercial de ce dernier et même le Languedoc qui allait améliorer son image de producteur de vins de qualité. Pourtant, ce projet sera stoppé net par une fronde anti-mondialisation, mêlant écologistes, communistes, néo-ruraux et chasseurs de sangliers. Au cœur de cette fronde, un vigneron atypique, Aimé Guibert, producteur d'un des meilleurs vins de pays du Languedoc, l'emblématique Daumas Gassac. Sa phrase « le vin de Mondavi, c'est du yaourt » fera le tour du monde. En plein cœur du Languedoc, le village d'Aniane sera en 2000 et 2001 le « Clochemerle du vin ».

Cette *guerre des vins* est d'abord une histoire forte. Nous avons eu maintes fois l'occasion de la présenter lors de conférences. Chaque fois, elle a suscité de nombreuses questions et interrogations. Chaque fois, nous avons organisé un vote, demandant au public de répondre à la question : « Auriez-vous accepté le projet d'implantation du groupe Mondavi ? ». Chaque fois, les résultats ont été contrastés et les avis très partagés.

Mais cette affaire est aussi un sujet d'analyse extrêmement stimulant. Elle est, en effet, une formidable occasion de comparer la France et les États-Unis. Elle révèle l'importance des cultures, de l'histoire, de la géographie, des systèmes économiques et politiques dans le conditionnement de notre esprit d'entreprise et dans la façon de conduire nos affaires. L'affaire Mondavi dévoile une part de nous-mêmes et de notre culture, tant appréciée à l'étranger mais aussi, parfois, si mal comprise. Il y a dans cette affaire de la *french touch*, cette étrange alchimie qui fusionne la fougue de la *furia francese* et la douceur du *french lover*. En chaque Français sommeille un révolutionnaire romantique. Mais aujourd'hui ce ne sont plus les rois auxquels certains veulent couper la tête mais le marché.

Certains verront dans cette affaire le symbole d'un affrontement entre l'ultralibéralisme et l'altermondialisation. D'autres s'interrogeront sur les liens multiples et subtils qui se nouent entre le local et le global, sur les relations parfois tendues, toujours complexes, entre le proche et le lointain. L'affaire Mondavi n'est pas seulement un *remake* de « *gardarem lou larzac* » ou de « *volem viure al pais* », c'est aussi l'opportunité de mettre en évidence un phénomène qui va – c'est notre thèse – se développer dans les années à venir : *le corporatisme du lieu*. Au-delà de l'anecdote, cette affaire offre des perspectives de réflexion dans des domaines aussi divers que le management international et l'entrepreneuriat, le développement local et les sciences politiques. Plus que tout, l'affaire Mondavi à Aniane révèle l'imbrication forte entre la vie des entreprises et celle des territoires. Le développement durable est à ce prix-là. Il ne faut pas opposer mais concilier, il ne faut pas diaboliser mais chercher à comprendre, car comprendre, c'est déjà agir.

L'idée de consacrer un ouvrage à ce sujet découle naturellement des recherches que nous conduisons au sein de l'ERFI, l'un des principaux centres de recherche français en gestion des PME et au Centre des Entrepreneurs de l'EM Lyon.

Travaillant depuis de nombreuses années sur les liens entre la mondialisation et les PME, nous avons mis en évidence le « principe de proximité » qui selon nous régit une grande partie du management des PME. L'affaire Mondavi illustre parfaitement cette problématique : logique de terroir contre logique de mondialisation.

Nous avons publié plusieurs travaux sur cette affaire, depuis notre première communication en collaboration avec Pascale Blandin au Congrès de l'Académie de l'Entrepreneuriat à Bordeaux en octobre 2002 jusqu'à un récent article publié dans *International Journal of Entrepreneurship and Small Business*, en septembre 2004. Il nous a cependant semblé que, compte tenu de sa force et de sa valeur symbolique, cette affaire pouvait susciter un intérêt auprès d'un public plus large que le seul univers de la recherche académique. Néanmoins, il est nécessaire de préciser que l'approche présentée ici est le strict prolongement de nos travaux académiques et ne saurait être assimilée à une enquête de terrain de type journalistique.

Sur le plan méthodologique, notre travail s'est fondé sur des données secondaires de deux ordres :

- la première source est constituée d'une centaine d'articles écrit par des dizaines de journalistes pour des dizaines de journaux en France et à l'étranger. Ces sources recoupées nous ont donné la « distance » nécessaire au traitement de cette affaire.

– la seconde source est le mémoire de DEA de Dorothée Yaouanc, soutenu sous la direction de William Genieys de l'Université Montpellier I. Cette seconde source, constituée pour partie par une enquête de terrain, nous a donné la « proximité ».

Espérons que ce livre convaincra les gestionnaires de l'importance à accorder aux territoires en général et à la proximité en particulier. L'espace est une dimension qui a été largement occultée par la gestion, souvent au détriment du temps, dimension noble de l'analyse stratégique. Pourtant nous persistons à penser que la proximité, prise dans un sens multiple et ambivalent, est la dimension première du management des entreprises. Le management des « sens » est toujours antérieur au management des « chiffres ». L'affaire Mondavi en est une illustration manifeste.

Olivier TORRÈS
Montpellier, janvier 2005

INTRODUCTION

LA MCDONALDISATION DU VIN
LA GRANDE TRAVERSÉE

LES EXCÈS DE LA MONDIALISATION

De plus en plus de voix s'élèvent contre la mondialisation de l'économie. Les thèses les plus abouties côtoient les essais les plus farfelus. Ces dernières années, de nombreux livres ont connu un réel succès depuis *L'Horreur économique* de Viviane Forrester [2] jusqu'à *La Grande Désillusion* de Joseph Stiglitz [3], prix Nobel d'économie, en passant par *No Logo* [4] de Naomi Klein. De nombreux cercles, groupes, associations, partis, syndicats... dénoncent les excès du marché. L'altermondialisme est devenue au fil des années un mouvement composite mais structuré, organisé autour de ses leaders, ses héros, ses associations, ses rassemblements. Le développement d'une littérature abondante est le signe d'une tendance lourde. On pouvait hier toiser, railler ou ignorer un José Bové. On ne peut plus aujourd'hui faire l'impasse sur ce mouvement de fond qui proteste contre la mondialisation dans sa forme actuelle. Des associations comme Attac regroupent plusieurs milliers d'adhérents et des masses encore plus considérables de sympathisants. La montée des partis d'extrême-gauche en France est loin d'être un épiphénomène. Autre fait significatif, la logorrhée n'est pas en reste : McDonaldisation, Disneyisation, McWorldisation, Burger Kingization... tous ces néologismes évoquent ce qu'il est convenu d'appeler la « marchandisation » du monde sous influence américaine.

La thèse de la marchandisation du monde consiste à dénoncer une privatisation générale qui pousse ses ramifications dans les moindres recoins de notre économie. En résumé, ce n'est pas le marché, lieu d'échange par excellence, qui pose problème mais ses excès. L'appropriation par la sphère privée d'activités qui relevaient autrefois du domaine public et culturel est certainement le point le plus crucial sur lequel se focalisent les attaques. Dans son ouvrage, *L'Âge de l'accès*, Jeremy Rifkin nous alerte sur les dangers d'une telle évolution. « Nos existences sont déjà aux mains des professionnels du marketing qui traquent nos habitudes et nos modes de vie. Dans un monde où chacun devra acquitter un droit d'accès à sa propre vie, quelle place restera-t-il aux relations humaines et à la culture ? »[5]. La marchandisation traduit ce conflit croissant entre le marché mondial et les cultures locales, notamment dans l'alimentaire et la gastronomie. Ces domaines sont au cœur de symboliques puissantes pour tous les peuples : source de la vie, rapport à la terre, pérennité de l'espèce... Des entreprises comme McDonald's ou Monsanto et, comme nous le verrons, Mondavi deviennent les symboles de cette mondialisation honnie qui impose des standards homogènes au détriment des diversités locales. Ces entreprises ont l'ambition d'influencer, voire pour certaines d'uniformiser, la nourriture que nous consommons, les semences que nous plantons... et le vin que nous buvons. En imposant des standards, ces entreprises cherchent à créer leur propre écosystème d'affaires pour mieux exercer leur contrôle. Elles deviennent les firmes leaders et peuvent alors conduire les évolutions au gré de leurs alliances et stratégies de coopération.

Dans le domaine du vin, les puristes redoutent les effets négatifs d'une production trop standardisée. Le vin est un produit qui éveille les sens : le goût, la vue, l'odorat. C'est cette caractéristique qui se perd avec l'industrialisation du produit. Pour Jean-François Gautier, conseiller juridique à l'Onivins (Office National Interprofessionnel des Vins), « cette politique de standardisation a déjà conduit à l'emploi généralisé de la machine à vendanger, à l'usage quasi exclusif des clones végétaux et à la vogue actuelle des "vins de copeaux". La mondialisation de la production vinicole est sans aucun doute un élément de banalisation : "L'ennui naquit un jour de l'uniformité" a dit le poète. Mais il faut espérer que les producteurs sauront partout préserver l'originalité de leur vin, et la défendre sous une forme juridique appropriée »[6]. Cette crainte de la standardisation, sur fond d'anti-américanisation, n'est pas nouvelle. Elle est profondément ancrée dans la société française.

LA COCA-COLONISATION : UN PHÉNOMÈNE DÉJÀ ANCIEN

Nous sommes à l'Assemblée Nationale le 28 février 1950. Un député communiste interpelle le ministre de la Santé publique : « Monsieur le ministre, sur les grands boulevards de Paris, on vend une boisson qui s'appelle Coca-Cola ». Le ministre répond : « Je le sais ». Le député ajoute : « Ce qui est grave, c'est que vous le sachiez et que vous ne fassiez rien ». Le ministre rétorque : « Je n'ai actuellement aucun texte pour agir ». Le député conclut : « Cette question n'est pas simplement une question économique, ni même simplement une question sanitaire. C'est aussi une question politique. Il faut donc savoir si, pour une question politique, vous allez permettre qu'on empoisonne les Français et les Françaises »[7]. À l'issue de ces échanges, l'Assemblée nationale vota, afin de donner au gouvernement la possibilité d'intervenir s'il s'avérait que cette boisson fût dangereuse. Pour Richard Kuisel, professeur d'histoire à l'Université d'État de New York, ce dialogue, qui prête à sourire de nos jours, est moins naïf qu'il n'y paraît : « Si quelques députés s'inquiétaient réellement de la nocivité de cette boisson, les mobiles de beaucoup d'autres étaient moins innocents. Ainsi, le porte-parole des partisans d'une réglementation du Coca-Cola représentait le département viticole de l'Hérault. Et le parti communiste menait alors une campagne forcenée contre "l'impérialisme américain" ». Pour l'historien, l'affaire Coca-Cola illustre deux phénomènes : la Guerre froide s'intensifiait et la résistance à « l'américanisation » se faisait jour.

En ce nouveau siècle, si la Guerre froide est terminée, la résistance à l'américanisation demeure. Peut-être s'est-elle même renforcée si l'on en croit Jean-François Revel dans son *Obsession anti-américaine*[8]. L'effondrement du mur de Berlin et celui de l'empire soviétique ont conféré aux États-Unis le statut d'hyperpuissance économique, militaire, voire culturelle. De ce fait, l'animosité envers l'Amérique s'est amplifiée.

Cinquante ans plus tard, le projet d'implantation du groupe californien Mondavi a suscité la même tempête que Coca-Cola. L'ancien journal *La Marseillaise*, devenu aujourd'hui *L'Hérault du jour*, principal organe de la presse locale communiste, n'hésite pas à intituler un de ses articles « Coca Cola Wine à Aniane »[9]. Plus ironique, *La Tribune* joue sur ce même registre avec son « Peppone contre la World Company »[10]. On retrouve, un demi-siècle plus tard, les mêmes acteurs : le département de l'Hérault, où le secteur viticole n'en finit pas de se restructurer, et le parti communiste – il est vrai en net recul par rapport aux années cinquante – qui mènera la bataille aux élections municipales de 2001 contre le maire d'Aniane. On retrouve aussi les réflexes corporatistes d'une profession viticole qui, à force d'agiter les peurs et les menaces, va induire un mouvement de protestation qui ira finalement à l'encontre de ses propres intérêts.

L'affaire Mondavi à Aniane n'est pas seulement une belle histoire pagnolesque qui fait le charme du sud de la France. Certes, le folklore local a grandement joué dans le dénouement de l'affaire. La faconde des déclarations d'Aimé Guibert ou les diatribes de Manuel Diaz, les principaux protagonistes de l'affaire, ne sont pas sans rappeler les tirades d'un Tartarin de Tarascon ou d'un Cyrano de Bergerac. Mais ce qui nous paraît plus important et justifie ce livre, c'est qu'elle révèle les liens de plus en plus étroits entre le développement des entreprises et celui des territoires. Cette affaire nous renseigne sur les éléments les plus intimes qui s'affrontent dans le processus de mondialisation de l'économie. Le développement économique est-il acceptable n'importe où, n'importe quand, n'importe comment ? Dans le cas d'Aniane, certains élus locaux ont répondu un peu trop rapidement par l'affirmative, et c'est par le seul langage qu'ils reconnaissent et qu'ils craignent, celui des urnes, qu'ils ont été désavoués.

L'affaire Mondavi intéresse le manager parce qu'elle met en évidence les différences culturelles dans la façon d'entreprendre entre l'entrepreneur américain qui sait créer et saisir les opportunités et l'entrepreneur français qui s'ingénie à préserver ses rentes et à éviter les menaces. Elle nous renseigne aussi sur les différences culturelles entre deux régions.

La culture de l'abondance, d'une part, qui caractérise la Napa Valley et la Silicon Valley, ces poches de richesse au cœur de la Californie, l'État le plus riche des États-Unis. La Californie fait rêver tous les hommes d'affaires et les élus locaux. Quel est le maire de grande ville ou le président de région qui n'a pas fait

© Dunod. La photocopie non autorisée est un délit

son pèlerinage en ce lieu mythique où les idées se transforment rapidement en entreprises, où les *business angels* sont plus puissants que les capitaux-risqueurs français, où une start-up sur dix devient un leader d'industrie,... ?

La culture de la pénurie, d'autre part, de la région Languedoc-Roussillon, qui se situe encore, si l'on excepte les chiffres de la création d'entreprise, parmi les régions françaises les plus pauvres. Le Languedoc est le plus grand vignoble du monde mais en pleine restructuration depuis vingt ans. Même si l'image de producteur de « vieille bibine » ou de « gros rouge qui tache » lui colle encore à la peau, le Languedoc-Roussillon poursuit sa montée en qualité, au prix d'une perte de 150 000 hectares de sa surface viticole en trente ans. Cette réduction de la surface utile crée les conditions propices à un sentiment de pénurie, sentiment qui jouera fortement dans l'échec de l'implantation du Californien.

Cette affaire nous interroge aussi sur le développement local, et plus particulièrement sur les relations entre le politique et l'économique. Bien des élus étaient favorables à ce projet. On peut même observer – chose suffisamment rare pour être soulignée en cette région – que *tous* les leaders politiques, de droite comme de gauche, étaient prêts à favoriser cette implantation. Mais c'est le maillon le plus faible, l'échelon local, qui a stoppé le projet. L'affaire Mondavi est une belle leçon de démocratie de proximité et les élus locaux seraient avisés d'en tirer les enseignements.

LA MCDONALDISATION DE LA SOCIÉTÉ

Dans son ouvrage *La McDonaldisation de la société*[11], le sociologue George Ritzer cherche à comprendre les ressorts et les mécanismes de ce processus de marchandisation. Pour qualifier ce processus, Ritzer reprend le nom de la célèbre marque de *fast food* qui a tissé son réseau dans plus de 100 pays. La réussite de cette entreprise est telle qu'elle est devenue en l'espace de quelques décennies un des symboles de la mondialisation, une sorte d'icône ou de cathédrale de la consommation. Cette emprise de McDonald's sur le monde est telle que le très sérieux journal *The Economist* a construit le « *Big Mac Index* », un indicateur du pouvoir d'achat des pays, indexé sur le prix du Big Mac. Le Big Mac devient ainsi l'étalon de mesure du degré de développement des pays dans un contexte mondialisé. En 1998, le Big Mac américain coûtait 2,56 dollars, l'indonésien 1,16 dollar et le suisse 3,87 dollars. Cet indicateur est censé mesurer le niveau de vie des pays.

George Ritzer distingue quatre dimensions pour qualifier le processus de McDonaldisation [12] :

– *l'efficience*. C'est un des éléments de la réussite de McDonald's. Dans une société constamment pressée, voire sous pression, la formule du *fast food* consiste à faire gagner du temps au client. Le McDo Drive permet même à certains de déjeuner sans sortir de leur voiture. De même, les règles de fonctionnement du travail sont largement codifiées et standardisées. Le principe de l'Organisation Scientifique du Travail de Taylor a ici trouvé un point d'application particulièrement saisissant. Tout est chronométré afin de ne pas perdre une miette de temps. McDonald's se bat constamment contre le temps pour vous en faire gagner ;
– *la calculabilité*. La McDonaldisation de la société signifie le règne des stratégies qui privilégient la quantité à la qualité. On recherche prioritairement les économies d'échelle par le jeu combiné de la standardisation des produits et des process de production. C'est la culture du plus, du toujours plus. Le plus

© Dunod. La photocopie non autorisée est un délit

est ici l'ennemi du mieux ! Les menus « Maxi Best of » ne proposent rien de mieux, sinon plus de frites et plus de boisson ;

– *la prédictibilité.* Tout est standardisé : la longueur des frites, le poids des steacks, le diamètre du pain et même le sourire de la caissière, le fameux « Smile McDonald's ». En paraphrasant Henry Ford, le célèbre magnat du secteur automobile, on pourrait imaginer que la devise de McDonald's soit « Qu'importe le goût du client pourvu qu'il achète un Big Mac ». Car la promesse de McDonald's, c'est finalement que le Big Mac sera identique quel que soit l'endroit où vous l'ingurgiterez : à Montréal, à Montpellier ou à Pékin, le produit reste le même. Tout est prévisible, il n'y a plus de place pour l'incertitude, voire la surprise ;

– *le contrôle à l'aide de techniques non humaines.* Dès que l'on entre dans un restaurant McDonald's, on subit l'emprise de son contrôle : les menus limités, les options restreintes, l'inconfort des sièges pour limiter les temps d'occupation... Les clients acceptent de vider leurs plateaux repas du seul fait que le mot « merci » est écrit sur les poubelles. Du *thank you* anglo-saxon au « merci » français en passant par le *gracias* espagnol, le conditionnement est constant avec une efficacité redoutable quel que soit le pays.

Selon Ritzer, la propagation d'un tel système génère des conséquences totalement irrationnelles. Par exemple, la standardisation des frites a conduit certains producteurs de pommes de terre a incorporé cette évolution en cherchant, parfois à l'aide d'engrais ou d'ajouts chimiques, à conditionner la croissance des pommes de terre dans un sens plus conforme à la demande. Cette mise en conformité en vue d'un meilleur confort de consommation débouche sur un conformisme qui réduit la diversité. La réalité doit entrer dans un moule. Les aspérités sont gommées, effacées. Le monde est usiné à un niveau jamais atteint. C'est cette tendance à la standardisation à outrance qui fait dire à Théodore Levitt, un des gourous du marketing, que le monde est un vaste marché où ce que désirent les clients, ce sont des produits les moins chers possible. La standardisation pousse à l'homogénéisation.

La standardisation dans le secteur des services se propage dans tous les domaines, comme l'hôtellerie avec les chaînes Formule1, Ibis, Novotel, les compagnies de location de voiture avec Avis, Hertz ou Rent a Car, les salons de coiffure avec Jean-Louis David ou Jacques Dessange, etc. Il n'y a plus d'activités qui ne soient standardisables ; même les cours de soutien scolaire à domicile, considérés autrefois comme des petits boulots de proximité pour les étudiants en quête d'un complément de revenus, font aujourd'hui l'objet d'une offre standard et d'une mise en conformité par des groupes comme Acadomia.

Ce que ne relève pas Ritzer, peut-être parce qu'il est américain, et qui nous touche personnellement davantage, certainement parce que nous sommes français, c'est que le processus de standardisation ne se limite plus aujourd'hui à la seule sphère des produits industriels et des services. Elle affecte aussi le domaine culturel.

Souvent sous la pression des chaînes de télévision, les logiques d'efficience, de prédictibilité et de calculabilité ont transformé certaines pratiques du sport, comme l'introduction de la règle du lancer toutes les 24 secondes au basket ou celle du « but en or » dans le football [13]. La multiplication des grands parcs à thème ou de loisirs repose aussi sur une savante application de ces principes d'efficience, conduisant certains à parler de « McDisneyisation. » [14]. Rifkin considère que le développement actuel du capitalisme abou-

© Dunod. La photocopie non autorisée est un délit

tit à privatiser une part croissante de la sphère culturelle. Les industries culturelles comme le cinéma, la radio, la télévision, le disque, le tourisme, les complexes de loisirs et les parcs à thème, le livre, la mode, la cuisine... sont les secteurs de l'économie mondiale qui connaissent la plus forte croissance. Ces secteurs sont de plus en plus absorbés par la logique industrielle de masse. Ceci a une conséquence majeure : « La fragmentation de cette expérience culturelle commune sous forme de produits marchands au sein d'une économie en réseau ne peut qu'accélérer le passage des droits d'accès de la sphère sociale à la sphère marchande. La logique de l'accès n'obéit plus à des critères intrinsèques – tradition, rites de passage, relations de parenté, origine ethnique, religion ou sexe – mais essentiellement à celui du porte-monnaie »[15].

C'est cette tendance à la marchandisation de la sphère culturelle, comprise au sens large, qui suscite le plus de critiques et d'émotions dans un pays comme la France. La cuisine française, la haute couture française, le cinéma français, le secteur touristique... sont autant des domaines d'excellence de notre économie que des champs fortement empreints de notre culture. Il n'est pas anodin que Ritzer recoure souvent à des déclarations d'hommes politiques français ou de grands chefs cuisiniers pour illustrer son ouvrage.

La réaction est toujours la même : quand des produits sont chargés d'une épaisseur culturelle comme cela est notamment le cas avec la gastronomie, la France apparaît comme un bastion de résistance à la mondialisation. Quand José Bové et ses compères de la Confédération paysanne « démontent » un McDonald's à Millau, la valeur symbolique joue à plein. Ils ne s'attaquent pas seulement à une icône de la mondialisation, ils défendent selon leurs dires une certaine idée de la gastronomie, une certaine idée de la France.

MONDOVINO : QUAND LE VIN DEVIENT UNE MARCHANDISE AMÉRICAINE

Dans le film documentaire Mondovino de l'américain Jonathan Nossiter, Michael Mondavi, l'un des fils héritiers de la multinationale vinicole Mondavi, s'enthousiasme : « Dans dix ou quinze ans, ce serait génial de faire du vin sur la planète Mars ». À l'inverse, Aimé Guibert, propriétaire du domaine Daumas Gassac à Aniane, déclare « être attaché à sa terre dont il connaît le moindre arpent ». Dans un communiqué publié dans *La Revue du Vin de France*, il vante la qualité de sa terre : « pas de chimie sur le sol, pas de molécule de synthèse, un bon compost rempli de millions de micro-organismes et de remuants vers de terre, qui promènent dans leur galerie souterraine, l'oxygène et l'hydrogène prélevés dans le souffle de l'azur. Prenez dans les mains une poignée de sol sur une vigne de Daumas Gassac ; une belle odeur truffée, mousse humide, gourmande, monte à votre nez ». Le contraste est ici sidéral entre la famille Mondavi incarnant l'esprit de conquête à l'américaine, rêvant de cultiver un vin martien, et de l'autre la famille Guibert, de souche française, enracinée dans son terroir.

Ce film a défrayé la chronique dès le Festival de Cannes 2004, puis lors de son lancement. *Libération* encense le film en ces termes : « Au sortir de Mondovino, sensationnelle enquête-reportage sur la mondialisation de la culture du vin, on n'a pas tellement envie d'aller boire un coup au bistro du coin mais plutôt de se mettre à l'eau plate pour les cent prochaines années. Entre autres horreurs tranquilles, Nossiter, aussi bon sommelier que cinéaste, révèle en effet qu'en gros toute la production mondiale a basculé du côté des vignerons californiens de la Napa Valley qui, avec force collaboration d'œnologues-vedettes et de critiques "objectifs", ont réussi à

© Dunod. La photocopie non autorisée est un délit

imposer le goût unique du pomerol bordelais. Nossiter a filmé ces milliardaires, et notamment les membres de la toute-puissante famille Mondavi, dans leurs haciendas de carton-pâte et leurs chais "ancestraux" sortis des limbes il y a quelques années. Ce qui frappe, ce n'est pas l'arrogance de ces maîtres du vin mais leur absolue conviction d'avoir raison, alors que, sur le terrain, le trust Mondavi non seulement grève la diversité des terroirs mais ne prend pas non plus de gants pour ruiner ou absorber moult petits exploitants ». Dans *Le Monde*, Mondavi est qualifié « d'apôtre de la globalisation du vin », de « pieuvre californienne qui s'est emparée d'une partie de la production des vins toscans de la famille Frescobaldi », de « producteur de "vins qui bluffent" ou de "vins pute" s'adjoignant les services de Michel Rolland, œnologue réputé, qui "crée" des vins micro-oxygénés, colorés, formatés, qui, grâce aux notes que leur octroie le puissant critique Robert Parker, deviennent les plus chers au monde ». Plus rien n'est naturel. Tout devient artificiel.

Il y a dans ces portraits, certes caricaturaux, les germes d'une opposition croissante entre deux univers : l'ancienne civilisation du vin face aux vins du nouveau monde.

Le vin est un élément constitutif de notre identité ; aujourd'hui, les crises de ce secteur font toujours la Une des médias [16]. Le vin, particulièrement en France, relève de l'exception culturelle. Cette identité est enracinée profondément dans chacun de nos terroirs. La France, avec ses 36 000 villes et villages, est le pays européen qui compte le plus de communes. Cela explique que la France compte aussi 450 AOC et 150 vins de pays [17]. Richesse ou fragmentation ? Pour l'œnologue Franck Dubourdieu, la réponse est catégorique : « Les amateurs de grands vins sont "terroitistes" et défendent l'idée que le terroir, dans son acception la plus large, c'est-à-dire incluant le climat, influence la qualité des vins et dicte inéluctablement la hiérarchie des crus. (...) Le terroir représente le fondement même de la qualité sans lequel l'homme, aussi talentueux soit-il, reste impuissant. On doit l'admettre comme une vérité première sans chercher à la transgresser »[18].

Mais le vin est aussi une industrie. Comme le note Jean-François Gautier, « Le vin est aujourd'hui moins le fruit de la vigne que le résultat des techniques de l'œnologie scientifique. Le vin de qualité est devenu un produit industriel de grande consommation relevant comme tous les produits industriels de méthodes modernes de marketing (lancement publicitaire, politique de marque,...). Dans cette espèce de meilleur des mondes viticoles, le vin est souvent le produit de l'électronique et de l'informatique (...) rigoureusement élaboré en laboratoire par calculs mathématiques faits sur ordinateurs par des sociétés extérieures au monde viticole et qui apportent leurs techniques industrielles. En somme, la "puce" serait à l'avenir de la vigne ce que le phylloxera fut à son passé »[19].

La McDonaldisation serait-elle en train de se propager dans un secteur du vin de plus en plus mondialisé où la technologie se substitue au savoir-faire artisanal des vins d'autrefois ? L'efficience, la prédictibilité, la calculabilité et le contrôle de la production à l'aide de techniques non humaines ne sont-elles pas aujourd'hui les compétences requises pour réussir dans le secteur du vin ? Les stratégies de spécialisation fondées sur de petites propriétés familiales magnifiant le terroir pourront-elles rivaliser longtemps face à l'offensive des grosses sociétés californiennes et australiennes intégrées tout au long de la filière et valorisant davantage le type de cépage que l'appellation d'origine ?

© Dunod. La photocopie non autorisée est un délit

Selon Aimé Guibert, l'un des protagonistes de cette affaire, il convient d'opposer le "vin vigneron" qui « signe avec orgueil l'identité de son terroir patrie et a fait naître plus de 20 000 variétés de vignes de très fortes personnalités » et le "vin industriel" « qui a précipité dans l'oubli cet immense héritage, pour garder une dizaine de variétés clonées, comme support de communication ». Selon lui, « le vin industriel peut s'analyser comme la tentative d'asservissement du consommateur à la seule dictature de la marque »[20]. Dans le secteur vinicole, Mondavi est certainement l'entreprise qui incarne le mieux cette McDonaldisation du vin. Le rêve de Robert Mondavi a toujours été de façonner les modes de consommation du vin en Amérique. À cette fin, ce dernier s'était même associé à l'empire Disney pour créer une animation consacrée à la vigne et au vin dans un parc d'attractions. Il n'hésite pas non plus à faire de la maîtrise technologique le cœur de sa stratégie d'innovation. L'opposition qui va naître à Aniane entre les familles Mondavi et Guibert symbolise à merveille ce clivage entre les "vins vignerons" et les "vins industriels".

C'est cette transformation lente mais structurelle du monde du vin et les différents *business models* qu'elle génère qui constituent le cœur de ce livre. Pour comprendre les raisons profondes de cette affaire Mondavi à Aniane, il faudra faire un détour par la Californie, ou plus exactement par Oakville au cœur de la Napa Valley où Robert Mondavi a posé la première pierre de son édifice. Il faudra aussi connaître l'histoire du Languedoc au riche passé viticole qui a créé des usages et des traditions encore vivaces aujourd'hui. Il faudra enfin décrire les principaux protagonistes de cette affaire, Robert Mondavi d'un côté et Aimé Guibert de l'autre, deux vignerons hors du commun. Ils ont de nombreux points communs. Ils vont pourtant se combattre. Dans cette guerre des vins, certains diront que c'est la France qui a gagné. Une victoire à la Pyrrhus, rétorqueront les autres. L'affaire Mondavi à Aniane n'est en fait qu'un épisode de cette guerre mondiale du vin qui se joue sous nos yeux.

1

ROBERT MONDAVI, LE PIONNIER DE LA NAPA VALLEY

LES LAURIERS DE CÉSAR

Robert Mondavi fait partie de cette race d'entrepreneurs qui réussissent tout ce qu'ils entreprennent. L'Amérique regorge de réussites exemplaires dans tous les domaines depuis Rockfeller dans le pétrole jusqu'à Bill Gates dans l'informatique, en passant par Jeff Bézos, le créateur d'Amazon. Les économistes qualifient ces hommes d'entrepreneurs schumpétériens, du nom de l'Autrichien Joseph Schumpeter qui fut un des premiers à établir que la richesse d'une économie dépend de l'innovation et de la capacité de ses hommes d'affaires à entreprendre. L'entrepreneur schumpétérien est celui qui rêve de fonder un empire, une dynastie régnant pendant des décennies dans son secteur de prédilection.

Robert Mondavi est l'archétype de l'entrepreneur américain libéral. Il incarne à la fois l'entrepreneur visionnaire qui part à la conquête du monde et l'entrepreneur pionnier qui ose innover et révolutionner les règles de son marché. Incontestablement, Mondavi est un précurseur car il sera l'un des premiers à faire découvrir au monde entier la grande qualité des vins californiens. Il devient ainsi une figure emblématique de la Napa Valley dont il contribue, aujourd'hui encore, à faire la renommée internationale. Mondavi aime gagner, surtout avec les autres, d'abord avec les viticulteurs de sa région, de son territoire, puis avec les autres grands producteurs de vins du monde entier.

Dans la Napa Valley, il jouit d'une très forte légitimité territoriale, puisque c'est lui qui a contribué à faire de cette région ce qu'elle représente aujourd'hui dans le secteur du vin, ainsi que d'une très forte légitimité concurrentielle, puisque son entreprise commercialise les plus grands crus californiens et est rentrée depuis 2001 au 196e rang du palmarès des 200 meilleures PME américaines du classement Forbes [21]. Bien que fortement enraciné, Mondavi est aussi un entrepreneur nomade qui multiplie les implantations, en Italie, au Chili, en Australie, en France, donnant à son entreprise un rayonnement mondial. « Tout le monde m'a pris pour un fou de vouloir bousculer les traditions, mais j'étais également pris pour un fou il y a plusieurs années lorsque je pensais que je pourrais produire un jour les plus grands vins du monde » déclare Mondavi. Tel père, tel fils, Tim Mondavi commente le projet d'investissement dans le Languedoc-Roussillon dans les mêmes termes : « C'est incroyable ce que l'on peut faire avec une telle histoire et un tel futur. On a le sentiment d'être des pionniers. C'est une sensation amusante car en fait on se trouve dans le plus ancien vignoble du monde ! » [22].

UNE FAMILLE D'IMMIGRÉS ITALIENS

Robert Mondavi n'est pas né une cuillère dorée à la bouche. Cesare Mondavi, son père, est né en 1883 dans une famille modeste originaire de Sassoferrato près d'Ancône, chef lieu de la région des Marches sur la côte Adriatique italienne. Cette région n'est pas une des plus riches d'Italie. L'industrialisation y est faible et les principales activités sont l'agriculture et le vin. Comme beaucoup d'Italiens à cette époque, Cesare part pour l'Amérique en 1906. À 23 ans, il n'est pas très instruit mais en pleine jeunesse ; comme beaucoup de ses compatriotes, il rêve de faire fortune. L'Amérique n'est pas encore ce qu'elle est aujourd'hui mais elle exerce depuis longtemps une irrésistible force magnétique qui attire ceux qui fuient la misère. Le mythe de l'El Dorado joue à plein. Entre 1900 et 1915, ils seront près de trois millions à venir d'Italie.

Comme tout immigré, les débuts de Cesare sont difficiles. Il travaille dans les mines de fer du Minnesota. Ce travail est pénible et dangereux. L'un de ses frères, Giovanni, perdra la vie au cours d'un accident, laissant une veuve et deux orphelins. La vie dans les mines est dure mais elle lui permet d'épargner suffisamment d'argent pour retourner se marier en Italie, deux ans plus tard, avec Rosa Grassi. Rosa n'a que dix-huit ans. Sans instruction – elle n'est jamais allée à l'école – elle est déjà rompue aux tâches ménagères et à une vie rude. Elle aura quatre enfants, Mary, Helen, Robert et Peter, tous nés aux États-Unis. Au foyer des Mondavi, le couple et leurs enfants ne sont pas seuls. Afin d'arrondir les fins de mois, la maison familiale est aussi une pension de famille, pouvant héberger jusqu'à seize hommes. Beaucoup d'immigrés italiens sont jeunes, sans femme et sans famille. Loin de leurs racines, ils trouvent dans ces pensions de famille, fort nombreuses au début du siècle, le gîte, le couvert et aussi du réconfort. Rosa cuisine, repasse, lave le linge pour tout ce monde. Ses journées commençent à quatre heures et demi du matin et se terminent à plus de onze heures du soir. Chaque soir, alors que le dîner est servi, elle prépare le panier-repas du déjeuner du lendemain. Les hivers rigoureux, elle apporte de sa propre initiative à la mine des plats chauds. En quatorze ans de mine dans le nord-ouest du Minnesota, Rosa Mondavi n'a jamais dormi plus de six heures [23].

© Dunod. La photocopie non autorisée est un délit

Les Mondavi sont ambitieux et travailleurs. Ils ne ménagent pas leur peine. Petit à petit, à la force du poignet, ils gravissent les échelons de la réussite sociale. Dans un premier temps, Cesare achète un « saloon » dont la clientèle est principalement composée de mineurs italiens. Puis il revend son bar pour acheter une épicerie, si bien qu'à la fin de la Première Guerre mondiale, s'ils sont encore loin d'être fortunés, les Mondavi ont accumulé un capital et plusieurs expériences. Cesare est devenu une personne respectée au sein de la communauté italienne du Minnesota.

En 1923, Cesare et sa famille partent s'installer à Lodi en Californie, juste au nord de Stockton, pour devenir grossiste en raisins de table. C'est en quelque sorte le premier contact des Mondavi avec la vigne, bien que nous soyons à ce moment-là en pleine Prohibition. Depuis le 18 octobre 1919, les États-Unis d'Amérique interdisent la production et la vente de boissons alcoolisées. Seule la production de vins de sacrement ou à des fins médicinales est permise. La prohibition a joué un rôle néfaste pour la production de vins en Californie. En quatorze ans, beaucoup de savoir-faire se sont perdus. Mais les Mondavi se sont enrichis en achetant et en revendant du raisin de table. En 1933, la prohibition est abolie et les Mondavi se trouvent naturellement aux avant-postes pour jouer un rôle de premier plan dans le redémarrage de l'industrie viti-vinicole de leur nouvelle région [24].

En 1936, Cesare Mondavi achète une petite *winery* dans la Napa Valley et porte rapidement la production de 80 000 gallons [25] à 500 000 gallons. En 1943, Robert, persuadé du potentiel de cette région, convainc son père d'acheter Charles Krug, la plus vieille winery de la Napa créée en 1861, pour un montant de 75 000 dollars. C'est à ce moment précis que la saga Mondavi commence. Durant ces années, Robert Mondavi va apprendre le métier et sillonner le monde pour étudier ce qui se fait de mieux. À la mort de son père en 1959, c'est lui et son frère Peter qui poursuivent l'exploitation. Mais les deux frères sont très différents et de nombreux désaccords les opposent. Peter veut gérer la winery familiale en bon père de famille tandis que Robert est innovant, prêt à prendre des risques. C'est un entrepreneur comme l'Amérique aime les mettre en valeur. Le tempérament fonceur de Robert va rapidement dépasser les frontières de la Californie.

Il reçoit un jour une invitation officielle de John Fitzgerald Kennedy, le président des États-Unis en personne, pour un dîner à la Maison Blanche donné en l'honneur d'une visite du Premier ministre italien. Les Kennedy voulaient associer à leur table quelques Américains d'origine italienne ayant réussi aux États-Unis. Robert Mondavi et sa femme sont à la fois honorés et désespérés par cette invitation. Quelle tenue va-t-on mettre à la Maison Blanche ? « Nous étions très flattés mais aussi très nerveux. Après tout, nous étions à la tête d'une petite entreprise familiale dans un petit village. Nous n'étions pas très riches. Marge[26], ma femme, avait des inquiétudes très spécifiques : quelle robe ? Quelles chaussures ? Quel sac ? Quels bijoux ? Quel manteau ? Marge était surtout inquiète pour son manteau. Elle n'avait pas de manteau suffisamment élégant pour une telle cérémonie ». Le couple Mondavi achète donc un manteau digne de l'occasion : un manteau en fourrure de vison d'une valeur de 2 500 dollars. Finalement ce repas n'aura jamais lieu à cause de l'assassinat de JFK en novembre 1963.

Mais l'achat de ce manteau aura raison de l'entente familiale. Peter conserve une certaine rancœur de cet achat qu'il juge dispendieux, d'autant qu'il est jaloux de ne pas avoir été lui aussi invité. Au fil des mois, les tensions s'accentuent jusqu'à ce jour

© Dunod. La photocopie non autorisée est un délit

de novembre 1965 où une violente dispute oppose les deux frères lors d'un repas réunissant toute la famille. Peter accuse son frère de dépenser trop d'argent en voyages et en promotion inutiles à ses yeux. Perdant son sang froid, Peter l'accuse même de voler de l'argent à la winery familiale. « Comment as-tu fait pour payer ce manteau de vison ? ». Robert, dans son autobiographie, se souvient de ce douloureux épisode : « Mon propre frère m'accusait d'être un voleur. "Répète ça et je te frappe !" le prévenai-je. Il le répéta. Je lui donnai une seconde chance : "Retire ça !" "Non !". Je lui sautai dessus et le mordis très fort ! deux fois ! » [27].

L'incident pousse la famille à trancher. Le conseil d'administration, composé essentiellement de membres de la famille et de quelques conseillers, demande à Robert de quitter la winery pendant six mois. Pendant cette période, profitant de son absence, Peter est nommé président [28]. Trop, c'est trop. Évincé comme un mal propre, Robert intentera un procès à son frère et à sa mère pour obtenir la part qui lui revient. Il gagnera en 1976 après un procès de 103 jours [29]. Robert, l'enfant rebelle et incompris, quitte définitivement la Krug Winery familiale pour voler de ses propres ailes. Il emprunte 150 000 dollars à des amis et 50 000 dollars à la banque pour construire à Oakville son propre domaine, la « Robert Mondavi Winery » [30].

OAKVILLE

Lorsqu'en juillet 1966, Robert Mondavi crée son propre Domaine, « *Robert Mondavi Winery* » à Oakville, au cœur de la Napa Valley, il a déjà trente ans d'expérience derrière lui. Le vignoble où il s'implante s'appelle « To Kalon », ce qui signifie en grec « beauté suprême ». Si ce vignoble fait aujourd'hui l'objet d'une tentative de reconnaissance d'appellation d'origine, à cette époque, la Californie était loin de jouir d'une image de lieu de production de vins de qualité. Robert Mondavi se souvient encore de cette époque : « Nous avions en Californie un énorme potentiel. Je savais que nous allions devenir une des meilleures régions au monde de production de grands vins. Mais l'industrie du vin américaine était encore au stade de l'enfance et personne ne semblait avoir la connaissance, la vision et les tripes d'accéder fièrement au rang des meilleurs vins de France, d'Allemagne et d'Espagne »[31].

Sans le savoir, Robert Mondavi fait à l'époque ce que nous appelons aujourd'hui du benchmarking, cette technique qui consiste à prendre pour modèle les meilleures entreprises et les meilleures pratiques du secteur pour s'en rapprocher et peut-être un jour les dépasser. Robert Mondavi parcourt le monde entier pour étudier ce secteur qu'il connaît déjà bien. Il est ambitieux et travailleur. Il ne ménage jamais sa peine lorsqu'il s'agit d'atteindre l'excellence. Gary Hamel, l'un des gourous de la stratégie de Harvard, dirait de Mondavi qu'il fait partie de ces révolutionnaires aux cheveux blancs qui ont réussi à réinventer leur secteur d'activités. Aucune entreprise ne réalise jamais de performances supérieures à ses propres ambitions. Une des particularités de Mondavi est de croire à ce qui paraît impossible aux autres. Il aime les défis. Mondavi a déjà en ligne de mire les meilleurs producteurs de vins. Il a en tête la révolution qu'il entend conduire au sein d'un secteur encore outrageusement dominé par les pays de la Vieille Europe, au premier rang desquels la France, l'Italie, l'Espagne et l'Allemagne. Mondavi est mû par une ambition stratégique audacieuse et démesurée si l'on songe à la situation du secteur viticole californien de l'époque.

Le nom de Mondavi est aujourd'hui connu dans le monde entier et respecté par les professionnels du secteur viticole. Les vins de Mondavi ont une solide réputation internationale bâtie

© Dunod. La photocopie non autorisée est un délit

progressivement au fil des partenariats et au prix d'une politique constante de qualité et d'innovation. Durant les années 70, Mondavi va rapidement être considéré comme une des entreprises américaines les plus innovantes et un producteur de grands crus de très grande qualité. S'inspirant des méthodes en vogue auprès des meilleurs producteurs de vins français, il est le premier à remplacer les grandes cuves contenant 5 000 gallons[25] qui étaient le standard dans la Napa Valley par des fûts en chêne de 60 gallons (225 litres) garantissant un meilleur vieillissement du vin. S'il s'agit ici d'une imitation de ce qui se fait de mieux dans le monde, Mondavi sait aussi innover sans copier. Il est par exemple le premier au monde à utiliser des citernes de fermentation en acier inoxydables pour aider le vin blanc à maintenir son goût.

LA CALIFORNIE, UNE HISTOIRE VITICOLE DÉJÀ RICHE

L'excellence des terroirs californiens résulte d'une longue histoire qui commence en 1779, année où des missionnaires franciscains espagnols avec, à leur tête, le Père Junipero Serra apportèrent les premiers la culture du vin en Californie. Partis du Mexique, ces missionnaires plantèrent le premier vignoble connu sur les terres de la Mission San Juan Capistrano dans le but de produire essentiellement du vin de messe et de table. C'est vers 1830 que débuta l'exploitation commerciale du vin, grâce aux efforts de Jean Louis Vignes, un Français natif du Bordelais, qui prit conscience du potentiel de ce territoire et importa des plants de diverses variétés de la *Vitis Vinifera* européenne. En 1848, la découverte de l'or va considérablement transformer la Californie et attirer des milliers d'immigrants de toute l'Europe. Beaucoup parmi eux connaissent la vigne et les techniques de vinification ; ils comprennent vite les possibilités illimitées que leur offre la région et se mettent à planter des pieds de vigne. L'industrie vinicole prend son essor entre 1860 et 1880, avec l'implantation de nombreuses caves. L'amélioration de la qualité des vins californiens est généralement attribuée à un noble hongrois, le comte Agoston Haraszthy, qui rapporta de nombreux pieds de vigne à chacun de ses voyages entre la Californie et l'Europe [32].

En 1860, le phylloxera, cette maladie de la vigne provoquée par le puceron du même nom, ravage la majorité du vignoble européen. Les Européens se mettent à importer des ceps de vigne américains en raison de leurs grandes résistances ; en 1870, l'épidémie de phylloxéra atteint à son tour la Californie et ruine son vignoble. C'est à ce moment que se crée le département d'œnologie et de viticulture de l'Université de Californie à Davis qui jouera par la suite un rôle primordial dans la diffusion du progrès technique et de l'esprit d'innovation. Puis, la Prohibition durant les années vingts porte un coup rude aux viticulteurs et à la production de vin devenue illégale. Les savoirs se perdent à tel point qu'en 1934, la Prohibition abrogée, 48 wineries californiennes se réunissent pour créer le « Wine Institute » dans le but de revigorer le secteur et de promouvoir les intérêts de la profession. À l'abolition de la Prohibition, l'industrie vinicole n'est pratiquement plus qu'un souvenir : il faut tout remettre sur pied en partant de zéro. Avec la Grande Dépression qui sévit dans les années trente, puis la guerre mondiale des années quarante, ce n'est qu'au début des années cinquante, que l'industrie viticole est enfin remise sur pieds produisant déjà quelques 500 millions de litres par an. Mais ces décennies ne sont pas propices à la production de vins de qualité. La demande s'oriente plutôt vers les vins de table bon marché, fortement alcoolisés et de faible qualité. Entre 1968 et 1972, la consommation de vin de table double aux États-Unis. La plupart des wineries, comme E&J Gallo, fabriquent encore du vin de pichet, pour satisfaire les

© Dunod. La photocopie non autorisée est un délit

goûts du consommateur américain [33]. Mais à la fin des années soixante-dix, les consommateurs se tournent de plus en plus vers des vins secs portant le nom de leurs cépages, au détriment des vins doux. De nombreuses nouvelles caves voient le jour, en particulier dans le comté de Sonoma et la Napa Valley. La fin des années soixante-dix marque le passage à l'âge adulte des vins de Californie. Les chiffres de production et de vente atteignent de nouveaux records, et le marché des vins de Californie devient mondial. Pour répondre à une demande toujours plus importante, il faut planter de nouveaux vignobles. Entre 1960 et 1995, la surface totale des terres cultivées en vigne passera de 40 000 hectares à plus de 135 000 hectares et le nombre de caves de 227 à plus de 800.

Un épisode critique va enrayer momentanément cette expansion. Comme un siècle auparavant, le phylloxera se propage à nouveau en Californie ravageant une grande partie du vignoble. Mais cette crise va se révéler être une opportunité pour de nombreux viticulteurs californiens qui vont profiter de cette occasion pour agrandir et moderniser leurs vignobles. « Cette fois, les hommes ne manquaient ni des connaissances, ni des moyens financiers nécessaires pour replanter les vignobles affectés par la maladie. Mieux encore, l'industrie viticole tira parti du phylloxera : quitte à consentir de lourds investissements pour replanter les vignobles, il fut décidé d'en profiter, à la fois quantitativement (en plantant plus de pieds par hectare, afin d'augmenter le rendement) et qualitativement (en choisissant des cépages mieux adaptés aux divers types de sols et de climats locaux) » [34]. La Californie compte aujourd'hui plus de 900 caves vinicoles et 4 400 vignerons, qui cultivent 224 000 hectares de vignes. Avec une production de 1,855 milliard de litres en 1998, la Californie est le quatrième producteur de vin au monde, derrière la France, l'Italie et l'Espagne.

L'histoire de la viticulture californienne est riche et fort ancienne. Il est bon de le rappeler tant sont nombreux ceux qui pensent que ces vins venus du Nouveau Monde sont récents et encore immatures. Il est vrai que la Californie fait partie du groupe des Nouveaux Pays Producteurs (NPP) avec l'Australie, l'Afrique du Sud et le Chili que l'on oppose aux Pays Producteurs Traditionnels (les PPT) que sont la France, l'Italie, l'Espagne et l'Allemagne. Si ce clivage a du sens et a fortement nourri l'opposition à l'implantation de Mondavi à Aniane, il n'en demeure pas moins que la Californie est peut-être un cas hybride, mêlant modernité et tradition.

LA NAPA VALLEY : UN *CLUSTER* DU VIN

Dans la langue des indiens Wappo qui furent les premiers habitants de la vallée, Napa signifie « terre d'abondance ». Ses premiers explorateurs plantèrent des pieds de vigne dans la vallée vers 1840. Charles Krug y bâtit la première cave vinicole commerciale en 1861 et il y avait déjà 140 caves vinicoles en exploitation en 1889. La plupart d'entre elles disparurent durant la Prohibition, mais l'abrogation de cette dernière, en 1933, marqua la renaissance de l'industrie vinicole dans la Napa Valley. De 1960 à 2000, le nombre de caves vinicoles passa de 25 à plus de 240. Après l'apparition du phylloxera en Californie, les deux tiers des vignes ont été replantées en cépages de Bordeaux. Aussi la valeur des vendanges qui ne dépassait pas 41 millions de dollars en 1979 a atteint 250 millions de dollars en 1997[35]. Aujourd'hui, les plus grands vins de cette région jouissent d'une réputation mondiale.

À bien des égards, la Napa Valley ressemble à une autre *Valley* située plus au sud et qui confère à la Californie sa confortable position de région la plus riche du pays le plus riche du monde :

© Dunod. La photocopie non autorisée est un délit

la Silicon Valley. Cette dernière s'étend du sud de San Francisco jusqu'au nord de Los Angeles. La Silicon Valley est aujourd'hui le lieu le plus riche et le plus innovant de la planète, particulièrement connu pour son excellence dans les domaines de l'électronique, de l'informatique, des biotechnologies et de l'Internet. Vingt des plus grandes entreprises mondiales de technologie ont leur siège au cœur de la Vallée (Apple, Hewlett-Packard, Intel, Sun Microsystems, Oracle, 3Com, Cisco,...). De nombreux spécialistes considèrent que ce territoire se caractérise par l'esprit précurseur qui anime la plupart des entrepreneurs de cette région et par la démesure. « La Silicon Valley est le monde de tous les superlatifs, par exemple les capitaux investis, le nombre de créations d'entreprises (25 start-up par jour en 1998), les réussites spectaculaires (10 nouveaux millionnaires par jour en 1998). À la même époque, une entreprise comme Cisco recevait 7 000 CV par semaine ! Cette démesure se retrouve à l'identique en période de crise : pertes cumulées de 89 milliards de dollars en 2001 pour les 150 plus grosses entreprises locales, taux de chômage record de 8 % (+ 5 % en un an !), effondrement des cours de la Bourse. (...) Être les premiers, les plus riches, les plus innovants... La Silicon Valley fonctionne comme un “champ magnétique”, attirant les meilleurs entrepreneurs, chercheurs et étudiants du monde entier »[36].

La Silicon Valley a donné naissance à un modèle de développement que les spécialistes appellent un *cluster*. Selon Michael Porter, le professeur de stratégie le plus renommé de la très prestigieuse Harvard Business School, « un cluster est une concentration géographique d'entreprises et d'institutions dans un secteur économique particulier, liées par des similitudes et des complémentarités de leurs activités. Les clusters s'étendent souvent aux canaux de vente jusqu'au client final, ainsi qu'aux fabricants de produits complémentaires et aux entreprises de secteurs proches en termes de compétences, de technologie ou d'approvisionnement. Enfin, les clusters incluent les institutions et organismes gouvernementaux – universités, agences de normalisation, groupes de réflexion, centres de formation et associations professionnelles – susceptibles d'apporter dans des domaines spécialisés enseignement, formation, information, recherche et aide technique »[37].

Cette agglomération où acteurs privés, publics et institutionnels interagissent, tant par des mécanismes de collaboration que de compétition, favorise la création d'emplois qualifiés, la production de biens et services de qualité, la localisation de fournisseurs de machines et de services spécifiques, l'éclosion des connaissances et la diffusion accélérée de l'innovation par effet de proximité. Les clusters sont les composants d'une économie productive et innovante. Leur force repose sur la présence d'entreprises, de fournisseurs et d'établissements universitaires travaillant dans le même domaine et tous regroupés dans une même aire géographique. Plus la concurrence est acharnée, plus elle stimule les entreprises à être les meilleures, et plus le cluster a des chances de devenir une référence mondiale.

Les clusters sont aujourd'hui les fers de lance des économies modernes ; ils créent de la valeur avec des produits et des services innovants qui améliorent la qualité de vie des salariés. Ces concentrations sont même de plus en plus nombreuses à travers le monde. On en trouve partout, en Italie, en Allemagne, en France, en Angleterre, en Inde,... D'où ce paradoxe que, dans une économie mondialisée, les avantages concurrentiels durables résident de plus en plus dans des éléments fortement localisés (les savoirs, les relations, les connaissances) que les concurrents éloignés ne peuvent reproduire.

© Dunod. La photocopie non autorisée est un délit

La notion de cluster est essentielle pour comprendre les spécificités et la force de la viticulture californienne, car on peut considérer que la Napa Valley est au vin ce que la Silicon Valley est à l'électronique et l'Internet. Michael Porter considère que la Californie est un bon exemple de cluster dans le secteur du vin. « Il réunit 680 chais et plusieurs milliers de viticulteurs indépendants mais aussi de nombreuses entreprises complémentaires : fournisseurs d'équipement pour l'irrigation et la vendange, d'étiquettes et de tonneaux ; agence de communication ; presse et édition à destination des revendeurs et consommateurs... Côté institutions, citons l'Université de Californie, mondialement célèbre pour sa section viticulture et œnologie, le *Wine Institute* et les comités spécifiques du parlement régional. » [38]

En fait, le véritable renouveau de ce cluster californien du vin, c'est Mondavi qui va l'impulser. La *Robert Mondavi Winery* va être très rapidement considérée comme la première *winery* californienne à produire du vin de qualité. Tous les autres producteurs de grands vins de la Napa Valley vont suivre Mondavi qui deviendra au fil des ans le leader incontesté de ce mouvement de fond. L'innovation, la qualité, l'envergure mondiale, la démesure sont aussi des qualificatifs qui caractérisent cette région.

LA CULTURE D'ABONDANCE : LE *WIN-WIN-WIN* CALIFORNIEN

Selon Pascal Baudry, consultant à San Francisco et auteur d'un ouvrage remarquable sur les différences culturelles entre la France et les États-Unis, « l'Américain regarde d'abord le côté positif des choses. Dans une situation où des intérêts potentiellement contradictoires sont en présence, il se demande si les deux protagonistes peuvent gagner conjointement : le *win-win*. La tendance de l'Américain de regarder d'abord les aspects positifs résulte d'une croyance d'abondance. Elle peut se comprendre quand on prend en compte l'expansion territoriale américaine avec la ruée vers l'Ouest »[39]. Il est vrai qu'en Amérique tout paraît plus grand, les portions de frites, les voitures et les autoroutes, les frigos, les palaces, les casinos, les buildings... Le succès d'un Kennedy lorsqu'il déclare qu'il veut aller sur la lune, non parce que c'est facile mais difficile, en est une illustration. Le « penser grand » fait partie des normes culturelles américaines. Concernant la Californie, Baudry ajoute même une nuance : le *win-win-win* – je gagne, tu gagnes, et le reste gagne aussi. Ce troisième partenaire, c'est le territoire, la Valley, où le sentiment d'appartenance et l'attachement à la région jouent très fortement. Variante californienne du « penser grand » américain, le *win-win-win* est le sentiment que l'esprit d'entreprise est la meilleure façon de défendre les intérêts de son territoire. Ce qui est bon pour notre entreprise et nos clients sera bon pour la Valley. La Californie a créé une culture où l'éthique du travail, l'implication sont aussi importantes que la qualification : le « *can do feeling* » (sentiment que chacun peut réussir) est devenu une valeur commune[40].

Sans cette culture d'abondance, il ne serait pas possible de réussir. C'est l'ambition d'être le meilleur, d'être le premier qui stimule les stratégies gagnantes. Plus les objectifs sont élevés, plus ils génèrent une tension entre le présent et l'avenir. Plus cette tension est forte, plus elle suscite des comportements entreprenants où chacun cherche à se surpasser.

Ce sentiment d'abondance développe la coopération et stimule la compétition. Celui qui perd une fois ne peut qu'être meilleur pour recommencer à nouveau. D'échecs en échecs, les Californiens grandissent. La tolérance au risque, notoirement plus grande en Amérique qu'en Europe, et cette culture d'abondance, qui se manifeste par l'esprit du *win-win-win*, amènent les

© Dunod. La photocopie non autorisée est un délit

Californiens à considérer l'étranger comme une source potentielle d'enrichissement. Les communautés étrangères sont parmi les plus nombreuses dans cette région qui compte aujourd'hui une forte minorité d'hispaniques (24 %), presque 10 % de Californiens d'origine asiatique et pas moins de trente mille Français.

De nombreux Français, la plupart champenois et bordelais, se sont implantés au cœur de la Napa Valley. C'est Robert-Jean de Vogué, une des grandes figures de la Champagne, qui a ouvert la voie des États-Unis aux Français. Au début des années 1970, le président de Moët & Chandon était conscient des limites de la Champagne et savait qu'un jour il ne serait plus possible de fournir les quantités suffisantes. Mieux vaut être présent là où la concurrence va se développer, s'est-il dit. Dans la foulée, Mumm lui a emboîté le pas, puis Roederer en 1982, et enfin Taittinger s'est lancé dans l'aventure en achetant, en 1988, Domaine Carneros. Les Bordelais, aussi, sous l'impulsion du baron Philippe de Rothschild qui, comme nous le verrons, va s'associer à Robert Mondavi, pour produire Opus One, l'un des nectars californiens vendus à plus de 100 dollars la bouteille. Suivant la même voie, Christian Moueix, président des établissements Jean-Pierre Moueix à Libourne, a acheté une cinquantaine d'hectares à proximité du vignoble d'Opus One. Il a créé Dominus sur le même principe. Plus récemment, Robert Skalli, l'un des plus gros négociants du Languedoc, propriétaire de la marque Fortant de France, a lui aussi abordé les côtes américaines pour faire un vin plus courant[41]. Ce dernier témoigne de l'aide que leur a apporté Mondavi : « Lorsque nous nous sommes installés en Californie pour exploiter un domaine il y a plusieurs années, ce dernier nous a énormément aidés, et nous apprécions les qualités profondes de cet homme de terrain, un véritable "Seigneur" ». Jean-Claude Boisset, négociant et propriétaire en Bourgogne, atteste à son tour de l'esprit ouvert et pionnier de Mondavi : « Le rôle de Robert Mondavi dans la réussite des vins californiens est essentiel. De toute évidence, il raisonne en homme d'affaires, mais reconnaissons-lui la qualité d'être avant tout un passionné de vin de qualité qui n'hésitera pas à investir de gros moyens pour que ce projet soit un succès, c'est une opportunité pour cette région et l'appellation. De plus, il a l'esprit très ouvert, car en favorisant l'implantation de nombreux Français en Californie, il a permis à des étrangers de réussir dans son sillon. Le marché des vins est en progression, il passe inévitablement aujourd'hui par l'expérience d'hommes aventuriers ».

MAI 1976, LE *BLIND TEST* DE PARIS

La reconnaissance mondiale du vin californien est facile à dater. Nous sommes le 24 mai 1976 à l'hôtel Intercontinental à Paris. Steven Spurrier, un Anglais propriétaire des Caves de la Madeleine, une des meilleures caves de la capitale, associé à l'Académie du vin, a l'idée d'organiser un concours à l'aveugle, un *blind testing* entre des Chardonnay et des Cabernet Sauvignon français et californiens. Habilement, Spurrier prétexte du bicentenaire de la Déclaration d'indépendance de 1776 pour justifier un tel match. Le jury, qui teste à l'aveugle, est entièrement composé de noms prestigieux de la profession et de la grande cuisine française : Pierre Bréjoux, inspecteur général à l'Institut National des Appellations d'Origine des Vins et Eaux-de-Vie ; Aubert de Villaine, copropriétaire du domaine Romanée-Conti ; Michel Dovas, Président, Institut Œnologique de France ; Claude Dubois-Millot, directeur commercial du guide Gault-Millau ; Odette Khan, directrice en chef de *La Revue du Vin de France ;* Raymond Oliver, grand chef cuisinier du restaurant trois étoiles Le Grand Véfour à Paris ; Pierre Tari, propriétaire de Château Giscours ; Christian Vanneque, chef sommelier à la Tour

© Dunod. La photocopie non autorisée est un délit

d'Argent et Jean-Claude Vrinat, propriétaire du restaurant trois étoiles Taillevent.

La surprise fut de taille. Dans toutes les catégories, les vins californiens occupèrent la première place. Mieux que cela, tous ces vins étaient de la Napa Valley. Il y eut d'autres tests de ce type avec les mêmes résultats à Londres, à New York et en Californie. Mais aucun de ces concours n'eut autant de retentissements que celui de Paris où un jury entièrement français classa les vins californiens devant les vins français. Cette reconnaissance des vins californiens fut reprise dans la presse, essentiellement anglo-saxonne, et eut un fort écho dans le milieu viticole. Un article de *Times Magazine* révéla de nombreux détails croustillants dont se délectèrent tous les Californiens. Un membre du jury déclara en goûtant un Bâtard-Montrachet : « Ce doit être un Californien. Il n'a pas de nez » ; un autre goûtant un Napa Valley Chardonnay : « Ah ! un nectar de France ». Crime de lèse-majesté, la presse française ignora totalement cet épisode. Pire, elle jeta le discrédit sur Spurrey en insinuant qu'il avait manipulé les résultats [42].

Robert Mondavi, quant à lui, n'a qu'un regret. Ne pas avoir participé à ce concours légendaire ; mais cela ne l'empêcha pas d'être heureux pour ses voisins et amis. « Avec le recul, je peux dire que le test de Paris a été un énorme événement dans l'histoire du vin californien. Soudainement, les professionnels nous portaient un autre regard. Ils prenaient conscience que nous étions capables de produire des vins aussi bons que les meilleurs crus français. » [43]

On peut supposer que cet épisode, ignoré du grand public mais retentissant dans les milieux initiés, fut déterminant dans le rapprochement entre le baron de Rothschild et Robert Mondavi. Si le principe d'une collaboration avait été évoqué dès 1970, ce n'est qu'en 1978, deux ans après le séisme de Paris, que les deux hommes s'engagèrent dans la production d'un grand cru : Opus One.

UNE ALLIANCE HISTORIQUE AVEC LES ROTHSCHILD : *OPUS ONE*

Il est de ces rencontres qui ne durent que quelques instants et vous engagent pour toute une vie. S'il est inapproprié de parler de « coup de foudre » pour évoquer la rencontre entre deux hommes, en ce qui concerne ces deux producteurs hors normes amoureux de grands vins, on parlera de « coup de maître ». Car Opus One est aujourd'hui positionné dans le segment très sélectif des *icons* (voir p. 62), dont la production de 30 000 caisses par an se vend entre 100 et 150 dollars la bouteille selon les millésimes. Le critique américain Robert Parker n'hésitera pas, dès les premières cuvées, à le considérer comme un des meilleurs vins de Californie. En 20 ans, Opus One, produit dans la Napa Valley, est même devenu un phénomène en soi. Il est un vin mythique pour les marchés américains et plus récemment asiatiques. Il faut dire que les investissements consentis pour atteindre un tel résultat sont à la hauteur de l'ambition affichée. La *joint-venture* a, petit à petit, acheté 56 hectares de vignes dans la région la mieux située de la Napa Valley, puis elle a construit une *winery* dont la technologie est la plus avancée au monde pour produire un très grand vin dans la tradition bordelaise. Un vin réalisé à partir des meilleurs raisins récoltés à la main, d'un seul vignoble, vieilli deux ans en fûts de chêne français, mis en bouteilles sur place. Cela a impliqué un investissement global, sur quinze ans, de près de 40 millions de dollars[44].

Philippine de Rothschild, la fille du baron, qui a pris aujourd'hui sa succession, évoque les débuts de l'aventure : « À la fin des années soixante-dix, mon père, le baron Philippe de

© Dunod. La photocopie non autorisée est un délit

Rothschild, s'est rendu compte que certains Californiens faisaient de très bons vins. En pionnier, il a eu l'idée de faire un très grand vin en Californie. Mais il ne voulait pas le faire seul, car le dialogue est plus enrichissant. Robert Mondavi produisait déjà les vins les plus intéressants et les plus complexes. Les deux hommes se sont alliés à travers une *joint-venture* 50-50 pour faire un vin d'assemblage réunissant donc plusieurs cépages. Le nom d'*Opus One*, un nom latin, évoque une œuvre musicale où tous les instruments, les cépages, jouent ensemble. Les Mondavi ont apporté leur terroir, les deux partenaires leurs connaissances œnologiques, et nous, des améliorations en viticulture. Puis *Opus One* a grandi lentement, il a fallu vingt ans pour faire quelque chose d'achevé »[45].

La genèse d'Opus One fait partie des mythes fondateurs de la saga Mondavi. L'histoire commence en 1970 à Honolulu à Hawaï. Robert Mondavi assiste à la convention annuelle de l'association américaine de viticulture. Le baron de Rothschild est lui aussi à Honolulu, attendant sa correspondance pour Paris avec sa femme qui a subi une opération à cœur ouvert en Nouvelle-Zélande. S'étaient-ils déjà rencontrés auparavant ? Nul ne le sait. Mais il est certain qu'ils se connaissent de réputation. Philippe Cottin, le régisseur des Rothschild, appelle Mondavi dans sa chambre d'hôtel : « Auriez-vous l'aimable attention de passer voir le baron ? ». Mondavi, excité comme un lycéen, rétorque : « Le baron ! Mon Dieu, quel honneur de rencontrer le baron ! »[46]. À cette époque, le baron de Rothschild jouissait d'une réputation mondiale dans le vin, renommée bâtie sur plusieurs générations, depuis 1853 lorsque le baron Nathanael de Rothschild devint le propriétaire du château Mouton à Bordeaux. Mouton-Rothschild est classé comme un des meilleurs crus français et la marque Mouton-Cadet créée en

1933 est une des marques les plus connues au monde. Mondavi quant à lui n'est propriétaire de son domaine que depuis 4 ans. Il n'est pas encore un leader du secteur même si ses premiers coups d'éclat lui assurent un succès d'estime dans le milieu des initiés. C'est certainement cette fougue et ce talent que lui reconnaît le baron et qui amène ce dernier à faire le premier pas. Le baron avait en tête de produire du vin dans la Napa Valley, particulièrement du Cabernet Sauvignon. Cette rencontre fut une première prise de contact. Si rien de concret ne déboucha, il en resta une sorte d'engagement réciproque de se contacter si l'un avait une idée précise [47].

Durant l'été 1978, huit ans après la rencontre d'Honolulu, le baron contacte à nouveau Mondavi et l'invite avec sa fille Marcia dans le Médoc. Les négociations pour Opus One se déroulent de manière très informelle un beau matin au château du baron de Rothschild près de Bordeaux. L'accord est conclu en deux heures et devient le modèle pour tous les autres partenariats que Mondavi va nouer dans le monde entier. « Notre accord s'est construit sur une passion partagée et une confiance commune », déclare Mondavi. Le baron rajoute : « Rien de notre accord initial n'a changé d'un iota et rien n'a vacillé de nos objectifs et de notre état d'esprit initial » [48]. Il s'agissait dans un premier temps de produire 5 000 caisses d'un vin d'assemblage à base de Cabernet Sauvignon. « Si nous voulons que ce vin soit unique, il nous faudra avoir notre propre vignoble et notre propre cave », souligne Mondavi. Le baron acquiesce.

Un an plus tard, Lucien Sionneau, maître œnologue à Mouton-Rothschild, et Tim Mondavi, le fils cadet de Robert, vinifient ensemble leur premier millésime à la Robert Mondavi Winery. Il reste à trouver le nom, chose beaucoup plus difficile qu'il n'y paraît, surtout lorsqu'il s'agit d'allier

© Dunod. La photocopie non autorisée est un délit

deux cultures. Après avoir cherché quelques variations autour de « duo » et « duet », Philippe de Rothschild propose « Janus », le dieu à deux faces pour évoquer les deux têtes qui ont pensé et produit ce vin. Mais pour Mondavi, ce nom n'est pas assez évocateur pour les Américains. Ce dernier propose « Mondavi-Rothschild ». Philippe refuse. Les deux s'accordent pour « Alliance » jusqu'à ce qu'ils se rendent compte que c'est aussi la marque d'un modèle de voiture de Renault vendu aux États-Unis. Philippine de Rothschild se souvient de cette période euphorique de recherche du nom et aime relater ce moment épique. Un beau matin, après avoir lu l'horoscope, son père s'écria : « Voilà, j'ai trouvé ». Très excité à l'idée de faire part de sa trouvaille à son partenaire californien, il attend une heure convenable pour téléphoner aux Mondavi. Quand il réussit à avoir Bob au bout du fil, il s'exclame :

« Bob, j'ai trouvé le nom »

– Vraiment ? C'est super, répond le Californien, quel est-il ?

– Gemini

– Gemini ?, répond Bob.

– Oui, Gemini !

Alors, un long silence s'instaure à l'autre bout de la ligne.

– Qu'en pensez-vous, Bob ?

– Eh bien, baron, c'est le nom du plus grand journal gay de San Francisco ! »

Un grand rire éclata de part et d'autre et la recherche se poursuivit [49].

Finalement, quelques jours plus tard, Philippe proposera « Opus », car « une bouteille de vin est une symphonie et un verre de vin, une mélodie ». « Opus » est un terme utilisé en musique pour répertorier chronologiquement l'œuvre d'un compositeur. Afin de convaincre définitivement son partenaire américain, le baron propose d'ajouter « One »[50]. Adjugé !

Le premier « Opus One » se compose de 80 % de Cabernet Sauvignon, de 16 % de Cabernet Franc et de 4 % de Merlot. Ce vin d'assemblage changera chaque année avec une dominante Cabernet Sauvignon (80 à 96 % selon les millésimes) auquel est ajouté du Cabernet Franc, du Merlot, du Malbec depuis 1994 et un soupçon de Petit Verdot depuis 1997. La terre acquise par la *joint-venture*, 50 acres[51] dans un premier temps, le double plus tard, jouxte la *winery* des Mondavi, juste en face de la route. Plus tard, Mondavi acceptera de vendre 40 acres de son vignoble de To Kalon, ce qui porte la propriété à 140 acres, une surface permettant de produire jusqu'à 30 000 caisses. Mais au départ, il n'est pas question de produire à pleine capacité. La première cuvée porte sur 2 000 caisses, les années qui suivent portent la production à 5 000 caisses. Le plan de production se veut progressif, laissant au temps le soin de faire monter progressivement la qualité et la réputation de ce nouveau cru. En 1999, le chiffre d'affaires atteint 21 millions de dollars et l'affaire est bénéficiaire depuis près de quatre ans.

La construction de l'Opus One Winery, confiée à l'architecte Scott Johnson, commence en 1989 et sera inaugurée en 1991. Le chais en pierres blanches et autres bâtiments d'exploitation occupent une surface de 9 000 m^2. Cette même année, les parcelles sont replantées avec des porte-greffes résistant au phylloxéra. Malheureusement le baron de Rothschild décèdera avant la fin des travaux. Il ne verra pas cette magnifique bâtisse futuriste. « Opus One a été la dernière grande aventure de sa vie », écrit Robert Mondavi mélancolique.

© Dunod. La photocopie non autorisée est un délit

DES ALLIANCES DANS LE MONDE ENTIER

Outre son partenariat avec la famille Rothschild, Mondavi compte aujourd'hui de nombreux partenariats à travers le monde, en Italie avec la famille Frescobaldi de Toscane, au Chili avec la famille Eduardo Chadwick et, depuis 2000, en Australie avec le premier producteur de vin australien, Southcorp.

La méthode est toujours la même. Dans un premier temps, les Mondavi repèrent dans chaque pays producteur, quelques noms prestigieux. Puis, après des approches classiques, la stratégie consiste à créer une *joint-venture* équilibrée, 50-50, entre un partenaire local et le groupe californien. Le partenaire local est choisi pour deux raisons : sa connaissance du territoire local, dans ses pratiques à la fois viticoles mais aussi économiques et sociales qui peuvent différer fortement d'un lieu à l'autre, et sa compétence de producteur de grands crus. Les Mondavi apportent leur savoir-faire et leur capacité commerciale. À cela, on peut observer une préférence pour s'associer avec des familles. Les Rothschild, les Chadwick, les Frescobaldi sont toutes des familles de premier plan dans le secteur vinicole de leur pays respectif. Cette proximité familiale rend plus facile la compréhension des problèmes. Bien que de nationalités différentes, leurs préoccupations sont souvent les mêmes. Ils partagent les spécificités du *family business.*

Michael Mondavi, le fils aîné de Robert, livre les secrets de la réussite : « Nous vendons deux choses, la qualité de notre image et la qualité de notre vin. Meilleure est la qualité du vin, meilleure est la qualité de notre image de marque et plus le consommateur est prêt à payer le prix fort ». Les Mondavi fondent leur image commerciale sur la maîtrise de la production, le respect du terroir, les cépages et la qualité.

En 1996, Robert Mondavi et Eduardo Chadwick signent un accord de partenariat pour développer la marque Caliterra, originellement créée en 1989 par le Chilien. Le nom de Caliterra fait référence à la richesse de la terre (*calidad de la tierra*) de ce vignoble de plus de 1 000 hectares à 200 kilomètres au Sud-Ouest de Santiago dans la Colchaga Valley de la région La Arboleda. Pour Mondavi, « cet accord présentait une opportunité idéale pour nous de réaliser notre vision globale de producteur de vin centrée sur l'échange de cultures et de philosophies ». Caliterra deviendra rapidement un véritable partenariat permettant de croiser les expériences des Californiens et celles des Chiliens. La Arboleda Winery est une des plus modernes du Chili.

Du fait de ces partenariats noués dans le monde entier, on peut considérer que Mondavi est une firme mondiale, même si le volume de ses exportations, quoique disséminées dans plus de 90 pays différents, ne dépasse guère les 10 % de son chiffre d'affaire total. Avec un taux d'exportation qui reste encore faible, les spécialistes diraient que Mondavi est un exportateur enraciné, puisque deux pays à eux seuls concentrent plus de la moitié des ventes à l'étranger : le Canada, pays de proximité, et la Suisse.

Mondavi ne cesse de cultiver son image de producteur californien dont il porte fièrement le drapeau en toutes occasions. La plupart des vignerons de la Napa prennent conscience que l'appellation Napa Valley devient un atout. Ils craignent aussi que certains vins de moindre qualité ne viennent ternir cette bonne image. C'est la raison pour laquelle ils cherchent à faire reconnaître la Napa Valley comme une AVA (*American Viticultural Area*), un équivalent moins contraignant que les AOC françaises. Tim, le second fils de Mondavi, n'hésite pas à déclarer son admiration pour la logique de « terroir » à la française et le système d'appellation européen : « Ici, nous devons encore apprendre les leçons de l'Europe et, avec un véritable esprit américain, développer un système d'appellation au sein de la

© Dunod. La photocopie non autorisée est un délit

Napa Valley »[52]. La plupart des vins du groupe Mondavi ont une origine californienne. La seule exception est Vichon Mediterranean, marque au positionnement atypique comparativement au reste des produits du groupe, et dont les Mondavi se sépareront à la suite des événements d'Aniane.

Ce qui est constitutif de la stratégie internationale de Mondavi, c'est son aptitude au partenariat international. Le principal artisan de cette stratégie de globalisation, c'est le fils aîné de Robert Mondavi, Michael. C'est ce dernier qui a accéléré le processus de « multinationalisation » du groupe familial. Il en est totalement conscient et se distingue ainsi de son père : « Quand nous avons commencé à vendre notre vin dans le monde entier, nous voulions parler de la Napa Valley aux professionnels du vin. Robert Mondavi était un vigneron local qui pensait localement, qui se développait localement, qui produisait localement et qui seulement vendait globalement... Pour être totalement une entreprise mondiale, je crois qu'il est impératif de développer et de produire les grands vins de ce monde dans les meilleures régions viticoles du monde sans tenir compte du pays et des frontières[53] ».

Pour Michael, la stratégie efficace est toujours la même. Trouver sur place un partenaire local. Cela peut prendre du temps. « Nous avons mis vingt ans pour trouver une famille avec laquelle nous associer en Italie. Nous avons mis sept ans avant de trouver un partenaire au Chili. Aujourd'hui face à la diversité et à la complexité des terroirs, nous sommes en train d'apprendre le Languedoc. Notre ligne directrice, c'est de faire plusieurs types de grands vins et de trouver le meilleur moyen d'y arriver. » Les fils Mondavi savent que le secret de la réussite passe par un partenariat local. En 1998, bien avant que l'affaire Mondavi n'éclate en France, Michael écrit un des chapitres de la biographie de son père. Ce chapitre est intitulé « *Globalization* ». Il annonce déjà sa stratégie d'implantation en Languedoc. « Dans la région du Languedoc, dans le sud de la France où nous produisons des vins au style méditerranéen sous notre marque Vichon, nous n'avons pas encore trouvé de partenaire local. Mais le mot clé est "pas encore". Nous trouverons le partenaire et ce sera une famille avec les mêmes valeurs et la même passion que nous. Ce sera une famille qui nous enrichira de son histoire et de son savoir-faire dans la vigne et le vin »[54].

L'OUVERTURE DU CAPITAL : *ALEA JACTA EST*

Les stratégies de croissance sont consommatrices en capital. La multiplication des alliances internationales et l'ambition affichée par la famille Mondavi vont très rapidement buter sur la contrainte financière. Il existe plusieurs voies permettant de financer les investissements. L'expérience montre qu'en général les entreprises de petite ou moyenne dimension privilégient l'autofinancement. C'est la meilleure façon de ne devoir rendre de compte à personne puisque l'on investit son propre argent. Mais cette source s'avère rapidement limitée quand les projets deviennent plus ambitieux. C'est alors au tour de la banque et de l'endettement de devenir la voie privilégiée du financement. Le banquier peut devenir un partenaire de premier ordre, surtout si ce dernier tisse des relations privilégiées avec son client. Mais de nos jours, les banquiers ne sont plus totalement libres de prêter à leur guise. De nombreux indicateurs, au premier rang desquels le taux d'endettement, fixent une limite à l'emprunt. Ce qui fait que beaucoup de PME sont aujourd'hui confrontées à ce que les spécialistes appellent le rationnement du crédit. Pour des raisons évidentes de minimisation des risques, toujours plus élevés en PME qu'en grands groupes, le banquier n'est jamais enclin à trop

© Dunod. La photocopie non autorisée est un délit

prêter d'argent à des entreprises de petite taille. Il reste alors une troisième voie de financement : l'ouverture du capital. Cette voie de financement est très souvent la dernière solution envisagée. Il existe une hiérarchie implicite mais néanmoins réelle entre les trois sources de financement. L'autofinancement est préféré à l'endettement qui est à son tour préféré à l'ouverture du capital. Stewart Myers, un théoricien de la finance, avait déjà énoncé cette séquence dans les années soixante-dix dans son principe de la hiérarchisation des choix financiers.

L'ouverture du capital est donc le choix ultime de ce long processus de financement. Elle n'est donc jamais un réflexe naturel pour un patron de PME, car partager le capital signifie aussi partager le pouvoir, ce qui est inimaginable aux yeux de certains dirigeants, même si cette ouverture peut se faire progressivement. On peut dans un premier temps faire entrer dans le capital de l'entreprise des membres de la famille, des amis ou des partenaires de confiance. C'est ce que les Anglo-Saxons appellent le *love money* ou les Africains, le capital informel, à l'image de ces tontines où l'on se prête de l'argent au sein d'un cercle d'amis très restreint. On peut ensuite ouvrir l'entreprise à un capital-risqueur qui acceptera de prendre un pourcentage minoritaire du capital sous réserve d'avoir son mot à dire dans la fixation des objectifs et la formulation stratégique. Mais dans ce cas, le dirigeant doit renoncer à une partie de son pouvoir. Enfin, la voie royale consiste à émettre des actions sur le marché des capitaux. À ce stade, l'entreprise entre dans le monde de la haute finance.

L'ouverture du capital est un processus « dénaturant » dans la mesure où elle remet en cause certaines caractéristiques spécifiques de la gestion des PME. L'ouverture du capital impose d'être plus transparent et plus explicite, ne serait-ce que pour répondre aux normes des marchés financiers qui fonctionnent sur le principe de l'information financière la plus fiable possible. Une des causes de l'affaire Enron et de l'effondrement de l'empire Andersen qui en a résulté est justement le non respect de cette règle financière des marchés[55]. De plus, l'indépendance du dirigeant s'estompe au profit d'une interdépendance nouvelle qui doit l'amener à concilier son point de vue avec celui de ses actionnaires. En somme, l'ouverture du capital induit un nouveau type de gouvernement dans l'entreprise qui n'a plus rien à voir avec le mode de fonctionnement d'une entreprise dont le capital et la gestion sont entièrement sous la commande d'un seul homme ou d'une même famille. L'ouverture du capital dénature la PME car elle implique de substituer la procédure au processus, l'explicite à l'implicite, le court terme au long terme, l'interdépendance à l'indépendance... Elle induit un mode de gestion qui s'apparente davantage à celui de la grande firme managériale qu'à la petite entreprise entrepreneuriale.

L'idée d'ouvrir le capital n'a pas surgi du jour au lendemain. Elle a germé progressivement dans la tête de Robert Mondavi, conscient que la réalisation de ses rêves nécessitait des moyens à la hauteur de ses ambitions. C'est la société d'investissement Goldman Sachs qui suggéra un jour cette ouverture à Mondavi. « Vous êtes une petite entreprise alors que vous êtes un homme immense. » Cette phrase eut le mérite de piquer au vif l'entrepreneur conquérant. Mais Mondavi hésite longuement à prendre une telle décision, de crainte de perdre l'esprit de famille auquel il est si attaché. Ses enfants ne sont pas non plus très enthousiastes à cette idée. Pourtant certaines entreprises familiales comme Levi Strauss ou le *New York Times* ont réussi à maintenir un contrôle familial tout en ouvrant le capital. La société Goldman Sachs et Robert Mondavi cherchent une solution dans ce sens. Elle apparaîtra progressivement comme une évidence. La solution consiste à émettre des actions avec des droits de vote diffé-

© Dunod. La photocopie non autorisée est un délit

rents. Les actions détenues par la famille Mondavi seront pondérées de 10 votes tandis que celles détenues par le public n'auront droit qu'à un seul vote. Avec une telle formule, Goldman Sachs estime que le groupe pourra lever entre 50 et 60 millions de dollars. Une manne dont Mondavi a cruellement besoin pour faire face à l'épidémie de phylloxera qui commence à se propager au sein du vignoble californien à la même époque [56].

Robert est séduit par cette formule mais il doit encore convaincre ses proches, en premier lieu ses enfants qui sont divisés. Si Michael est favorable, Tim et Marcia sont hostiles. Il leur explique que c'est le prix à payer pour poursuivre l'expansion que le groupe s'est fixée. « Les temps changent et si nous ne changeons pas avec lui, nous perdrons tout ». L'expérience des *joint-ventures*, notamment la première et certainement la plus importante, celle avec le baron de Rothschild, a appris à Robert Mondavi à écouter, partager, concilier son point de vue avec celui des autres. La création d'Opus One est une filiale à 50-50. Elle préfigure un management professionnel dans la mesure où il n'est pas question de n'en faire qu'à sa tête comme dans une simple PME. À quatre-vingts ans, la force de conviction de cet homme est exceptionnelle. Il persuade ses enfants de se lancer dans cette nouvelle aventure industrielle. Après plusieurs années de réflexion, la décision est prise. *Alea jacta est !*

Le 10 juin 1993, le groupe Mondavi est coté pour la première fois de son existence sous la référence MOND. Quelle sensation de se retrouver aux côtés de Microsoft, d'Intel et d'autres grands fleurons de l'industrie américaine, l'une des plus puissantes de la planète. Mondavi est coté au Nasdaq, un marché des capitaux généralement réservé aux entreprises dites technologiques. Ce n'est toutefois pas la première cotation d'une société spécialisée dans le vin. Les entreprises Chalone Wine Group et Canadaigua

Wine Company ont précédé le groupe Mondavi. Cette entrée au Nasdaq élargit les ressources financières des Mondavi et conforte l'image d'une stratégie fondée sur l'innovation permanente.

La mise à prix à l'ouverture est de 13,50 dollars par titre pour un volume de 3,7 millions d'actions. « Imaginez-vous dans quel état j'étais la veille de l'introduction en bourse ? Fier ? Oui. Nerveux ? Un peu. Mais plus que tout, j'étais émerveillé. Vingt-sept ans auparavant, avec une ambition immense et à peine un penny en poche, je créais la Robert Mondavi Winery » [57]. Cette nuit-là, Robert Mondavi ne peut s'empêcher de penser fortement à ses parents et à ses grands-parents, pauvres paysans de Sassoferrato en Italie. Ils peuvent être fiers de leurs fils et petit-fils qui transforment les habitudes de consommation de millions d'Américains. Quel chemin parcouru et quelle réussite pour ce descendant d'immigrés italiens qui n'a jamais renié ses origines modestes. Bien au contraire, Mondavi les revendique. Le modèle de son père le guide sans cesse. Il était « bon comme de l'or ». Robert se souvient de ces années passées à apprendre le métier aux côtés de son père que tout le monde respectait pour sa probité et sa résistance au travail. Robert Mondavi sait qu'avec ce parcours digne de l'*american dream*, il va séduire les investisseurs. Il sait aussi qu'il joue son va-tout dans cette affaire, une sorte de quitte ou double. Il le sait. Il aime ça. Cela le stimule. Il n'a *que* quatre-vingts ans.

Le jour J, le titre se défend plutôt bien. Fixé à 13,50 dollars, le cours de l'action monte à 14,25 dans la journée pour terminer en clôture de séance à 13,125. Mais les jours suivants, le cours de l'action s'affaiblit. À la fin de la première semaine, le 17 juin, le titre est à 11,25 dollars. Le titre baisse à 10,75 dollars la 3e semaine, pour atteindre 8,12 dollars au bout de deux mois, soit une perte de 40 % sur le prix initial [58]. Ce n'est plus une baisse,

© Dunod. La photocopie non autorisée est un délit

c'est un effondrement. « Nous avions fait un énorme pari, un des plus gros de ma vie, et maintenant il était clair que cela allait nous exploser à la gueule. ».

Que va faire Robert Mondavi, cet entrepreneur-stratège hors pair qui a passé sa vie à transformer les contraintes en opportunités ? Et bien, il part à la pêche ! Incroyable mais vrai. Alors que son entreprise à laquelle il a consacré toute sa vie est confrontée à une des crises les plus rudes de son histoire, il part avec sa seconde femme, Margrit, et des amis, Bill et Evelyn Hall, pour une semaine de pêche au gros sur les côtes d'Alaska dans un yacht de croisière de 30 mètres. Ce voyage était prévu de longue date et Robert n'a pas voulu se décommander. C'est un homme de parole. Mais une partie de lui ne veut pas partir. Il a le sentiment d'abandonner son propre navire en pleine tempête. À l'aéroport, ses amis se rendent bien compte qu'il n'est pas dans son état habituel. Il est terne et peu loquace, alors que Robert est naturellement joyeux, enthousiaste, plein de vitalité. Il est préoccupé par la chute du cours de son action. « L'action est à moins de 8 dollars » leur explique Margrit.

Durant cette semaine, il pêche tous les jours mais n'attrape pas un poisson. « Même pas une simple touche. » Il n'a pas la conscience tranquille. Le cours de l'action continue sa dégringolade. Il sait que chez lui, ses deux fils et ses collaborateurs, notamment Cliff Adams à qui il a confié la direction opérationnelle du groupe, sont affairés à convaincre les investisseurs et à rassurer Wall Street. Mais que faire ? Ce type de problème est nouveau pour lui, plus habitué à arpenter les vignobles qu'à séduire les financiers. Mais il est clair que c'est lui qui a incité ses proches à accepter cette ouverture du capital. Il vit cette crise comme un affront. Il en fait une affaire personnelle, une question d'honneur et d'amour-propre. Il faut trouver une solution d'autant que la descente aux enfers se poursuit. À la fin de la semaine, le cours est désormais à 6,50 dollars. L'action a perdu la moitié de sa valeur. Malgré cela, Mondavi n'est pas submergé par la peur. Son antidote ? Un esprit positif et une confiance en soi inébranlable. « Certes, le cours de notre action baissait. Mais je savais que ce que nous faisions était bon. Et la qualité finit toujours par payer. J'étais sûr de ça. Je savais que nous allions émerger »[59].

Comme à son habitude, Mondavi sait profiter des occasions difficiles. Une crise est toujours un moment propice pour saisir de nouvelles opportunités. Cet exil en Alaska, loin de son entreprise et des siens, a le mérite de le pousser à réfléchir, à faire le point. Le soir, lorsque tout le monde est couché, il reste sur le pont à contempler l'horizon. Le paysage est magnifique, calme et reposant, propice à l'exercice d'introspection auquel se livre l'octogénaire. La solution à ce problème lui vient naturellement comme une évidence. Il prend conscience de quelque chose d'essentiel : « Je réalisais en discutant avec mon ami Bill sur le bateau, que j'avais besoin de faire des choses avec mes deux fils. Je n'avais pas passé beaucoup de temps avec eux quand ils étaient enfants. Je ne leur ai jamais donné réellement le pouvoir au sein de la firme ». Michael avait désormais cinquante ans et avait gagné ses galons dans la production, le marketing, l'administration et la finance. Tim, quant à lui, avait quarante-deux ans et était devenu un œnologue compétent et reconnu. Il devenait évident que cette crise ne pourrait se dénouer que par un acte fort et décisif.

À son retour, sa décision est prise. Il demande à Cliff Adams, alors directeur général de l'entreprise, de céder son siège. « C'était douloureux pour moi de faire ça, car Cliff a toujours été compétent et constamment loyal à mon égard

© Dunod. La photocopie non autorisée est un délit

depuis de nombreuses années ». Mais Robert Mondavi sait que son âge inquiète les investisseurs toujours en quête de sécurité et de stabilité. Tant que la passation des pouvoirs n'est pas clarifiée au sein de la famille, il persiste un risque de succession, risque que les investisseurs appréhendent plus que tout. On a déjà vu maintes fois des familles s'entre-déchirer à ce sujet. Les guerres fratricides sont toujours les plus dramatiques, car le sang qui coule est le fruit des mêmes entrailles. Robert le sait bien pour avoir vécu pendant des années l'angoisse et les tourments d'un procès qu'il gagnera contre son jeune frère Peter mais à quel prix ! Mondavi découvre les règles de la bonne gouvernance qui régissent la haute finance et cherche à s'adapter à cette nouvelle situation. « C'est le prix à payer. » Michael devient le nouveau CEO du groupe et son frère Tim l'œnologue en chef. Quant à Cliff Adams, il est nommé directeur du projet de création du « Centre Américain du vin, de la gastronomie et des arts » dont Mondavi nourrit l'ambition depuis de nombreuses années. Adams quittera définitivement le groupe en 1997, après 27 ans de carrière, suite à des dissensions avec Michael et Tim [60].

Cette succession va rassurer Wall Street. Le cours de l'action remonte progressivement à 10, 20, 30, 40 et dépassera même les 50 dollars au début de l'année 1998. À l'été 2004, le cours se maintient à 40 dollars, résistant mieux que certaines valeurs technologiques du Nasdaq qui se sont effondrées avec l'explosion de la bulle Internet. La plupart des analystes recommandent de conserver le titre Mondavi. Le pari est réussi. Une fois de plus, l'audace de Robert Mondavi a fini par payer.

C'est aussi à partir de cette période que la culture de l'entreprise familiale va se transformer. Michael imprime un nouveau style et fixe de nouvelles orientations stratégiques. Les partenariats vont se multiplier et la politique marketing s'accentuer. Michael est un *businessman* qui a fait des études en management et marketing à l'Université de Santa Clara. Il aime la vitesse, conduit une Harley Davidson et a un brevet de pilote d'avions. Aux dires de nombreux cadres et observateurs, il est très différent de son jeune frère Tim qui a préféré se consacrer à des études d'œnologie. Certains, peut-être un peu mauvaise langue, pensent que Michael et Tim sont aussi différents que l'étaient leur père Robert et leur oncle Peter et ravivent inlassablement le spectre de la lutte fratricide comme une sorte d'atavisme familial.

Il est vrai que plusieurs décisions de Michael ont suscité l'opposition de son père et de son frère comme, par exemple, l'idée d'utiliser le nom de Robert Mondavi pour les marques bon marché afin de profiter du prestige de la famille. Robert et Tim étaient totalement opposés à ce repositionnement des marques et ont refusé catégoriquement l'idée d'associer le nom de Robert Mondavi à des vins de moindre qualité. La marque Robert Mondavi Private Selection sera en effet un désastre[61]. Au moment de sa vente, un concurrent lance le « *Two Bucks Chuck* », le vin à deux dollars. Le *Two Bucks Chuck* provoque un véritable séisme sur le marché du vin outre-atlantique, car il brouille les repères habituels entre prix et qualité. A son tour, la marque Charles Shaw, profitant de la baisse des prix du vrac aux États-Unis, lance avec succès au printemps 2002 une campagne de vente de bouteilles à 1,99 dollar. Ses ventes atteignent plus de deux millions de caisses sur les quatre premiers mois de l'année si bien que début 2003, la marque Charles Shaw représente à elle seule 19 % de toutes les ventes de vin en Californie... Le succès est tel que les concurrents de la chaîne Trader Joe's (distributeur exclusif de Charles Shaw) ont eux aussi lancé leur vin à 1,99 dollar[62]. À ce phénomène Two Bucks Chuck qui modifie

© Dunod. La photocopie non autorisée est un délit

radicalement le référentiel de prix des vins de cépage, s'ajoute une forte agressivité concurrentielle des vins australiens.

UNE STRATÉGIE MARKETING

Les Mondavi ne sont pas uniquement des producteurs de grands vins et des signataires d'accords internationaux. Ce sont aussi de fins connaisseurs des règles du marketing. Le marketing du vin est spécifique. Dans un contexte où l'offre en provenance des nouveaux pays producteurs augmente et où la consommation globale s'affaiblit, il est nécessaire pour les professionnels du vin d'avoir recours aux techniques de vente. Dans leur ouvrage *Le Marketing du vin*[63], Emmanuelle Rouzet et Gérard Séguin montrent les véritables enjeux du marketing dans le secteur vinicole. Savoir vendre son vin signifie que le producteur sache précisément quelle est sa cible de consommateurs. Il convient de « positionner le vin que l'on veut vendre, en étudiant son marché, en l'adaptant aux motivations de la clientèle visée par le biais d'un marketing mix cohérent (produit, prix, distribution, communication) et de commercialiser le vin, en choisissant selon les circuits de distribution, les techniques et les outils d'aide à la vente adéquats (plaquettes, fiches produits, questionnaire de dégustation, aménagement du stand...) et les partenaires commerciaux efficaces ».

Le marketing ne s'improvise pas. Il s'étudie et fait appel à des spécialistes, généralement formés dans les grandes écoles de commerce. Michael Mondavi a lui-même fait des études de marketing. Il sait combien il est difficile mais important de créer des marques. Le groupe Mondavi affiche plus d'une quinzaine de marques : Robert Mondavi Napa Valley, Coastal, Woodbridge, Vichon Mediterranean, La famiglia di Robert Mondavi, Byron, Opus One, Caliterra, Sena, Luce et

Lucente... Certaines de ces marques appartiennent totalement aux Mondavi, d'autres sont cogérées avec leurs partenaires étrangers (voir Tableau 1).

Robert Mondavi Napa Valley est historiquement la première marque créée en 1966 par Robert à ses débuts. Même si elle ne représente que le troisième plus gros volume de ventes, elle est la marque fétiche du groupe. Elle associe le nom du producteur au nom du lieu. À l'époque, les deux noms n'étaient pas aussi renommés qu'aujourd'hui. C'est dire tout le chemin parcouru par les Mondavi depuis la fin des années soixante. La marque historique englobe plusieurs segments depuis les *super premiums* jusqu'aux *ultra premiums* haut de gamme (voir Figure 1).

Conscient de l'importance des marques dans le positionnement du vin et l'adaptation à sa clientèle, Mondavi va ajouter d'autres marques à son portefeuille dans les années soixante-dix, notamment Woodbridge en 1978 qui sera sa principale source de chiffre d'affaires, Opus One en 1979 et Byron en 1984. Mais c'est durant les années quatre-vingt-dix que les Mondavi mettent en œuvre une stratégie pro-active de création de marques, soit en création propre, soit par acquisition, soit en collaboration avec des producteurs dans le cadre de *joint-ventures* à l'étranger. On ne compte pas moins de sept nouvelles marques : La Famiglia di Robert Mondavi en 1993, Robert Mondavi Coastal en 1994, Caliterra et Sena en 1996 dans le cadre de leurs accords avec la famille Chadwick au Chili et la même année la marque Luce avec la famille Frescobaldi en Italie, à laquelle s'ajoutera Lucente en 1998. Enfin, la marque Vichon devient en 1997 Vichon Mediterranean dans le but stratégique de se positionner sur le sol français.

© Dunod. La photocopie non autorisée est un délit

Tableau 1 : Le portefeuille de marques du groupe Mondavi

Marque	**Origine**	**Prix**	**Forme organisation-nelle**
Masseto	Italie	> 200 $	49 % du capital de Tenuta dell'Ornellaia
Ornellaia	Italie	> 100 $	49 % du capital de Tenuta dell'Ornellaia
Opus One	Napa Valley (Californie)	> 100 $	*joint-venture* – Château Mouton-Rothschild
Luce	Toscane (Italie)	Approx. 60 $	*joint-venture* – Frescobaldi
Sena	Chili	> 50 $	*joint-venture* – Chadwick
Arrowood	Sonoma Valley	> 40 $	Acquisition par Robert Mondavi en 2000
Io	Santa Maria Valley (Californie)	40 $ - 50 $	Création interne
Robert Mondavi Winery	Napa Valley (Californie)	20 $ - 100 $	Création interne
Lucente	Toscane (Italie)	20 $ - 30 $	*joint-venture* – Frescobaldi
Byron	Santa Maria Valley (Califor-nie)	15 $ - 40 $	Acquisition par Robert Mondavi en 1990

La Famiglia	Napa Valley (Californie)	15 $ - 40 $	Création interne
Arboleta	Chili	15 $ - 20 $	*joint-venture* – Chadwick
RM Private Selection	North and Central Coast (Californie)	8 $ - 15 $	Création interne
Danzante	Italie	Approx. 10 $	*joint-venture* – Frescobaldi
Woodbridge	Californie	5 $ - 8 $	Acquisition de la Winery puis création interne
Calitterra	Chili	5 $ - 7 $	*joint-venture* – Chadwick

Source : Robert Mondavi[64]

La plupart de ces marques se positionnent sur les segments des *super* et *ultra premiums.* Les marques partagées comme Sena et Luce, dont les bouteilles sont commercialisées entre 50 et 60 dollars, correspondent au segment supérieur des *ultra premiums,* et Opus One, un des fleurons de la gamme, se situe dans le segment le plus élevé *icon* avec des bouteilles qui se négocient jusqu'à 150 dollars. Au plus bas de l'échelle, la marque Caliterra se positionne sur le segment des *popular premiums* avec un prix à la bouteille qui oscille entre 5 et 7 dollars. Par leur déploiement de marques, les Mondavi occupent tous les segments du marché, à l'exception du segment *basic* qui correspond aux vins ordinaires à moins de cinq dollars.

© Dunod. La photocopie non autorisée est un délit

Figure 1 : Les différents segments du marché du vin

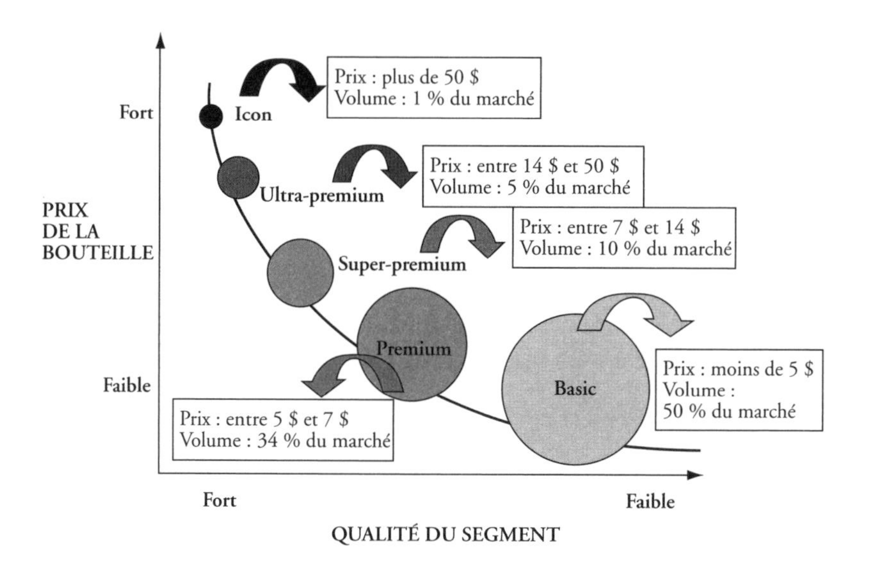

Source : Rabobank International[65]

Le savoir-faire en gestion des marques est manifeste. C'est une des compétences clés du groupe Mondavi. La marque est aujourd'hui un enjeu décisif dans le secteur du vin. Savoir capter et fidéliser une clientèle est une stratégie onéreuse mais payante à long terme. La marque est une garantie de qualité, une promesse faite au client. « Elle permet au client de reconnaître le produit. Elle porte de nombreuses significations symboliques. Elle est un véritable concentré d'informations qui rassure le client. Elle doit être facilement mémorisable et internationale. On ne change pas souvent de marque car installer une marque prend du temps (minimum 10 ans). Les marques, du fait de la mondialisation, utilisent des mots courts. »[66] La marque « Io », une des récentes créations du groupe est une parfaite illustration de ce savoir-faire. Le nom est court, facilement prononçable et porteur d'une forte internationalité par sa consonance latine. On peut constater la grande fréquence des lettres a et o dans le choix des marques des Mondavi. Les « o » et les « a », symboles de féminité et de rondeur, apportent l'idée de douceur au produit. Ils renvoient aussi à la signature du producteur M"o"nd"a"vi.

Mais le savoir-faire marketing des Mondavi ne se limite pas à leur gestion du portefeuille de marques. Ils veulent aussi éduquer le client et mettre en scène le vin, ce produit qui n'est pas comme les autres. C'est peut-être sur ce plan que l'on mesure le mieux le génie commercial de Robert Mondavi. Il sait pertinemment que les goûts des consommateurs se façonnent et que les Américains ne sont pas d'aussi grands consommateurs de vins que les Européens. Mais il sait aussi qu'il y a en Amérique un énorme potentiel qu'il convient de cultiver, à la manière de ces vignes que l'on fait pousser et de ces vins qu'on laisse mûrir pendant des mois, voire des années. Toute sa vie, Robert Mondavi s'est attelé à cette tâche pédagogique. S'il est vrai que la consommation baisse fortement en France et en Italie, les deux pays les plus consommateurs de vin au monde, Mondavi n'en a que faire car ce ne sont pas ses marchés. 90 % de sa production est destinée au marché américain. Il n'exporte que 10 % de sa production principalement au Canada, en Suisse, au Japon, en Allemagne et au Royaume-Uni. La tendance est inverse aux États-Unis où le nombre des amateurs de vins s'accroît chaque année. Certes, le rythme de progression est lent mais Mondavi sait que le marché américain représente un fort potentiel. « La chance ne profite qu'à ceux qui s'y préparent », disait naguère le maréchal Foch. En bon stratège, Mondavi s'applique à mettre toutes les chances de son côté.

Dans un premier temps, la stratégie marketing est volontairement élitiste, correspondant aux moyens encore restreints de

© Dunod. La photocopie non autorisée est un délit

l'entreprise naissante et conciliant la forte ambition de se positionner dès le départ dans la production de grands vins. Au début, Robert Mondavi s'attache à séduire les rares amateurs californiens de grands vins. Ils sont peu nombreux mais constituent un puissant réservoir de prescripteurs. Ils sont au sommet de la pyramide et leurs opinions ont de l'influence. En focalisant sa politique commerciale sur les clients les plus exigeants et les plus connaisseurs, Mondavi s'assure en cas de réussite un succès rapide. Ce sera le cas. Pour asseoir plus solidement son image de producteur de qualité, Mondavi va par la suite limiter sa publicité aux deux magazines les plus influents du secteur *The Wine Spectator* et *Food and Wine*[67]. Dans le jargon des spécialistes de marketing, on peut dire que Mondavi adopte une stratégie d'écrémage.

Mais celle-ci connaît des limites lorsque l'entreprise désire accroître son volume d'affaires. Elle doit alors changer et adopter une stratégie de pénétration en s'adressant à une plus grande frange du marché. Il ne s'agit plus de séduire des connaisseurs mais de convaincre des non initiés. Le challenge est différent mais non moins stimulant pour l'entrepreneur de la Napa Valley.

Afin de stimuler la consommation de vin, Mondavi organise des visites touristiques dans ses *wineries* et organise des dégustations pour promouvoir ses nouvelles marques. Aujourd'hui, ce sont près de 350 000 touristes qui visitent chaque année sa cave de Oakville. Il offre des sessions de formation dans les grands restaurants et hôtels, organise des séminaires et multiplie les événements culturels et éducatifs autour de la vigne et du vin. Il s'associe à de nombreux artistes qui viennent exposer leurs œuvres lors de vernissages prestigieux. En 1976, Mondavi crée le programme des « grands chefs » et s'intéresse à l'art de la table en signant de nombreuses préfaces dans des ouvrages culinaires. Mondavi a compris tout l'intérêt d'utiliser les synergies entre manger et boire. Sa stratégie consiste à allier le vin, la gastronomie et les arts. « Les gens qui aiment la bonne chair, l'art et la musique, aiment aussi boire des vins fins et ils aiment tout cela à la fois... Le vin est bien plus qu'une boisson, c'est une culture. »[68] Il n'hésite pas à jouer les mécènes de premier plan comme, par exemple, pour le financement de l'*American Center for Wine, Food and the Arts* qui ouvrira ses portes dans la ville de Napa.

Le projet le plus fou est l'ouverture en février 2001 du « *Golden Vine Winery* », une attraction dédiée à la vigne et à son histoire dans le parc d'aventures de Disney à Anaheim en Californie. On y trouve un petit vignoble reconstitué, une démonstration du processus de production du vin, une salle de projection de films vantant la viticulture californienne, un grand restaurant, une épicerie fine, un espace de dégustation... Mondavi, qui a investi 11 millions de dollars dans ce projet, estime alors le potentiel de cette attraction à quatre millions de visiteurs par an. Malheureusement, les chiffres seront décevants et, un an plus tard, Mondavi se résignera à revendre ses parts sans perte ni profit au géant du divertissement. Au total, les dépenses de publicité, en incluant l'aménagement des points de vente, se chiffreront à plus de 20 millions de dollars en 2001[69].

ROBERT MONDAVI, UN ENTREPRENEUR TYPIQUE DE LA CULTURE DE SON PAYS

Sans aucun doute, Robert Mondavi est l'archétype de l'entrepreneur américain. Il incarne à la fois l'entrepreneur visionnaire qui part à la conquête du monde et l'entrepreneur pionnier qui innove sans cesse pour révolutionner les normes du marché.

© Dunod. La photocopie non autorisée est un délit

Dans son autobiographie, *Les Récoltes de la joie*[70], Robert Mondavi écrit sans cesse son ambition d'être le meilleur. Cette obstination est même une obsession depuis son plus jeune âge. Dans tout ce qu'il entreprend, il veut être le premier. Dès l'acquisition de la Charles Krug Winery par son père, il voulait qu'elle soit une winery pionnière. « Je rêvais de porter la Napa Valley au rang des meilleures régions productrices de vin dans le monde, aux côtés du Bordelais, de la Bourgogne et de la Toscane. »[71] Il est convaincu qu'il est né pour mener jusqu'au bout cette mission. On peut dire que plus de trente ans après la création de sa winery, alors qu'il avait déjà 52 ans, Mondavi a atteint son but. Et il en est fier. Ce culte de l'excellence est le fil directeur de sa vie d'entrepreneur. « *As always, we had only one criterion : the best* ». Dans la vidéo que sa société a réalisé pour séduire les investisseurs capitaux-risqueurs lors de l'ouverture du capital, le film commence par une séquence où l'on voit Mondavi dans son vignoble disant : « Déjà quand j'étais enfant, je voulais exceller... ». Mondavi a cette capacité exceptionnelle à transformer ses rêves, même les plus fous, en réalité.

Parti d'une stratégie élitiste, le groupe Mondavi a progressivement élargi son marché par une extension de son portefeuille de marques, par une intensification de ses partenariats à l'étranger et par une politique commerciale de plus en plus dédiée au grand public. Cette stratégie d'expansion va le mener à prospecter le Languedoc, l'un des plus grands vignobles au monde.

2

LE LANGUEDOC, PLUS GRAND VIGNOBLE DU MONDE

LE DOMAINE DES DIEUX

LE PASSÉ CONTRASTÉ DU LANGUEDOC

Le vignoble languedocien, vaste terroir au climat idéal pour la culture de la vigne, s'étend de Narbonne jusqu'à Nîmes. Ce sont les colons grecs et étrusques qui y plantèrent les premières vignes au VIe siècles avant J.-C. Les Romains poursuivirent le développement de la vigne dans cette région qui porte alors le nom de la Narbonnaise. Pour écouler ces vins, vantés par de grands auteurs comme Pline et Cicéron, ils développent un circuit commercial remarquable, exportant vers la Grèce, les côtes turques, l'Égypte. Forte de cette expansion, la Narbonnaise devient l'un des principaux fournisseurs en vin de Rome. De nombreuses amphores fabriquées dans les ateliers de Béziers à l'époque romaine et retrouvées en Italie attestent de cette époque glorieuse.

Mais cette réussite ne va pas sans poser de problèmes. La guerre des vins qui oppose aujourd'hui les vins des pays du Nouveau Monde aux pays producteurs traditionnels n'est pas nouvelle. En effet, dans un souci protectionniste, l'Édit de l'Empereur Domitius, en l'an 92, met fin à la prospérité viticole languedocienne en imposant l'arrachage de la moitié des vignes dans les Provinces. Près de deux mille ans avant la politique d'arrachage impulsée par la construction européenne, la Narbonnaise voyait déjà disparaître une partie de son vignoble.

Il faudra attendre le VIIIe siècle pour observer le renouveau du vignoble languedocien. L'Église, notamment sous l'impulsion de saint Benoît d'Aniane, fils du Comte de Maguelonne, va instaurer dans la région un véritable réseau d'abbayes et de monastères avec leur vignoble : Saint-Guilhem le Désert avec Saint-Saturnin et Cabrières, Saint-Chinian, Valmagne... « Véritables pôles de développement, ces magnifiques bâtisses servent de centres culturels où la science de la vigne fait partie intégrante du patrimoine enseigné et où le vin représente une monnaie d'échange essentielle, source de richesse et de pouvoir » [72].

L'Islam, du VIIIe jusqu'au XVe siècle, met en péril la viticulture méditerranéenne, tandis qu'à la même époque, les Britanniques et les Hollandais font basculer le commerce du vin sur l'Aquitaine. C'est de cette époque que date la rivalité entre le Languedoc et le vignoble bordelais.

En 1729, les États du Languedoc font soumettre à la signature royale un arrêt du 27 septembre organisant la production et le commerce de vin et eaux-de-vie du Languedoc, fixant les modes de fabrication et le contrôle de la production. C'est l'un des premiers exemples d'organisation régionale de la production vinicole en France [73].

En 1776, Turgot supprime le « privilège » de Bordeaux qui faisait de cette ville le partenaire commercial privilégié de l'Angleterre.

La suppression de ce privilège offre au pays une nouvelle période de prospérité. Sète et Béziers deviennent les lieux prisés par les haut-fonctionnaires et les hommes d'affaires. On exporte du vin de qualité et beaucoup d'eau-de-vie jusqu'aux États-Unis. Thomas Jefferson, élu président, fait livrer du muscat de Frontignan et du vin de Saint-Georges-d'Orques [74]. À cette époque, le Languedoc est une région productrice de vins fins.

La forte notoriété et l'image du vignoble languedocien se perpétuent jusqu'au milieu du XIXe avec la révolution industrielle. Mais l'essor du train va bouleverser profondément les structures agricoles et le paysage languedocien. Le Languedoc va alimenter Paris et le nord de la France, lieux où se concentrent la grande industrie et les travailleurs de force, grands consommateurs de vins. À cette époque, les vignerons vont abandonner leurs anciens cépages pour planter du Carignan et de l'Aramon aux rendements plus abondants. Le Languedoc se convertit rapidement à la production de masse et devient, selon l'expression consacrée, « une vaste usine à vin ». Les plantations se multiplient pour une production quasi industrielle d'un vin bon marché et énergétique fournissant les villes industrielles du nord de la France. D'importantes propriétés se donnent les moyens de produire davantage [75]. La crise du phylloxera de la fin du XIXe siècle va accélérer ce mouvement. Des hommes d'affaires et des maîtres de la finance rachètent tout, des petites exploitations familiales jusqu'aux grandes propriétés de la bourgeoisie locale incapable de faire face à cette mutation. D'immenses domaines se constituent en quelques années seulement. En 1900, les Salins du Midi comptent 700 hectares de vignes, la banque Rothschild plus de 200. Ils géreront leurs vignobles comme des entreprises industrielles, instaurant un capitalisme agricole issu de la banque et du négoce parisien [76]. Le Languedoc-Roussillon va devenir le plus grand vignoble du monde avec une superficie qui progressera jusqu'à 450 000 hectares dans les années soixante-dix. Cette position de première surface viticole aura un revers. Pendant très longtemps, cette région qui va produire essentiellement des vins de table et du vin en vrac de très faible qualité et à bas prix, va souffrir de l'image d'une « mer de vignes » qui produit du « gros

© Dunod. La photocopie non autorisée est un délit

rouge », du « pinard » et de la « bibine ». Jules Michelet dans son *Histoire de France* ne s'y trompe pas quand il écrit : « De Reims à la Moselle commencent la vraie vigne et le vin ; tout esprit en Champagne, bon et chaud en Bourgogne, il se charge, s'alourdit en Languedoc pour se réveiller à Bordeaux ».

Cette brève histoire de la viticulture languedocienne a le mérite de montrer que les problèmes actuels que traverse la viticulture mondiale ne sont pas nouveaux : les rivalités concurrentielles, les dérives corporatistes, les interventions des pouvoirs centraux, les appellations d'origine et le souci de préserver le patrimoine, l'ouverture et la conquête des marchés étrangers, le rôle des entrepreneurs et des bâtisseurs, l'importance des évolutions économiques et politiques, la place des technologies et de l'innovation... tous les problèmes contemporains se trouvent concentrés dans cette riche histoire du terroir languedocien.

À la fin du XIXe siècle, le Languedoc entre donc dans une ère nouvelle, celle de la production de masse. Ce sera une des pages les plus marquantes de son histoire, celle qui va voir la naissance des caves coopératives et la mise en place d'un système de gouvernance de type corporatiste où les luttes viticoles vont se succéder jusqu'à l'épisode tragique de la fusillade de Montredon en 1976 qui marquera la fin du Midi rouge. Il est déterminant de connaître les implications économiques mais aussi sociales, syndicales et politiques de cette époque et les restructurations qui ont suivi pour comprendre les ressorts de l'échec de l'implantation des Mondavi à Aniane.

UN XXe SIÈCLE DE LUTTES SYNDICALES ET DE DÉFENSES CORPORATISTES

Le Midi a souvent été une terre de résistances et de luttes contre les pouvoirs dominants. Dans le manifeste « *Mon Païs Escorjat* » (mon pays écorché) lancé à l'automne 1978 par Emmanuel Maffre-Baugé, l'une des figures emblématiques du monde viticole languedocien et proche du parti communiste, on peut lire : « Heureusement que notre pays n'est pas un lieu quelconque qu'un ennemi inconnu "aménage et déménage", c'est l'Occitanie, pays de culture, de traditions démocratiques, de grandes luttes sociales et des combats pour la liberté de conscience des Cathares, des Camisards et des maquisards »[77]. Contre l'Europe du capital et pour l'Europe des peuples, ce texte dénonce le pouvoir des multinationales et les excès de l'étatisme centralisateur.

Pour le sociologue Yves Gilbert, « en renvoyant parfois à un plus lointain passé de résistance régionale au pouvoir central, celui de la période cathare, constitutif de la personnalité de "l'Homme d'Oc", le discours des notables locaux tend à présenter la réalité des rapports entre la région et l'extérieur (et plus particulièrement entre la région et l'État) comme des rapports de domination opposant au groupe des "nous" (unanimisme régional) celui des autres, des "eux", des "ils". Les termes principaux de ce discours, des années 1880 au début des années 1980, seront schématiquement la légitimité de la monoproduction, la nécessaire solidarité régionale face aux agressions d'une concurrence toujours déloyale, la condamnation du rôle de l'État et la revendication d'une politique d'assistance considérée comme le juste dédommagement des pressions qu'"on" fait injustement supporter à la région. »[78]

Parmi les moments cruciaux qui fondent cette culture contestataire et revendicatrice figure au premier rang la révolte de 1907. Cette année-là, la mévente des vins du Languedoc est à son comble. À la question « Pourquoi y avait-il trop de vin sur le marché ? », les vignerons n'eurent aucun mal à répondre : « Il y a trop de vin parce que certains n'hésitent pas à frauder en faisant

© Dunod. La photocopie non autorisée est un délit

du vin de sucre, en mouillant les vins ou en ayant massivement recours à la chaptalisation [79] ». Si le Midi crevait de faim, cela ne pouvait être que parce que, dans l'imaginaire social des vignerons, les producteurs de sucre s'enrichissaient, avec la complicité de l'État, sur le dos des viticulteurs du Midi. En mettant en scène le Midi et les vignerons contre le Nord et les producteurs de betteraves, ce scénario mêlant différences territoriales et professionnelles créa les conditions explosives et massives de la mobilisation sociale [80]. Lors de la manifestation du 9 juin qui réunit 600 000 personnes, le Dr Ernest Ferroul, le maire de Narbonne, instigateur de l'insurrection, annonce la démission de toutes les municipalités du Languedoc et la grève de l'impôt. Au cours de cette révolte d'une rare ampleur, la troupe tire sur la foule, faisant six morts et des dizaines de blessés, à l'exception de ce régiment de recrues régionales, « les braves du 17e », qui par solidarité mettront crosse en l'air avant d'être expédiés au bagne ou en bataillon disciplinaire dans les mines de potasse du sud tunisien. La crise se dénoue grâce à une loi qui crée le service de répression des fraudes. Les vignerons créent à cette occasion la Confédération Générale des Vignerons (CGV) et en confient la présidence à Ernest Ferroul.

L'une des conséquences des événements dramatiques de 1907 va être la création des caves coopératives dont le but est de mutualiser les lourds investissements nécessaires pour mieux répondre aux besoins du négoce et pour moderniser les techniques de vinification. Les premières caves sont inaugurées en 1910. Dans le seul département de l'Hérault, on en comptera 28 en 1930 et 142 apès la Seconde Guerre mondiale. Elles seront 550 au début des années soixante-dix où elles rassembleront près de 90 % des producteurs, principalement les exploitations familiales et les micro-exploitations et couvriront les trois-quarts de la production régionale. On y fabrique un seul type de vin, rouge ou blanc de table au goût et à la qualité uniformes. Dorénavant, le vigneron n'a plus la maîtrise de ses vins. La figure dominante du Languedoc de ce début de XXe siècle est celle du viticulteur, c'est-à-dire un simple fournisseur de raisins davantage préoccupé par la rentrée de la récolte que par la production du vin. Sa rémunération dépend directement de la quantité de raisins qu'il livre à la coopérative. Payé au « degré/hectolitre », la stratégie gagnante repose exclusivement sur des critères quantitatifs.

La multiplication des coopératives a aussi des conséquences sociales et syndicales. En effet, la coopérative vinicole est bien plus qu'une unité économique ; elle devient une véritable institution assurant la coordination interne et externe pour les viticulteurs de chaque commune. Elle facilite la diffusion des nouvelles normes techniques liées à la modernisation du vignoble, elle assure une médiation avec l'administration, elle régule l'activité viticole par l'imbrication de relations interpersonnelles qui s'organisent autour de la famille, du « voisinage de vigne », du club sportif mais aussi des vendanges ou des fêtes locales. La coopérative est, enfin, un vecteur essentiel de l'action politique car elle constitue un relais local particulièrement utile pour l'action syndicale viticole [81]. Lieu central de la solidarité entre viticulteurs qui apprennent à s'entraider, à s'échanger du matériel et de la main d'œuvre si nécessaire, la coopérative est une forme organisationnelle complexe qui encastre fortement l'économique, le social, le syndical et le politique. Du point de vue des investisseurs étrangers, cette structure non familière peut même paraître exotique et poser de réelles difficultés culturelles.

C'est cette structure composée de petits viticulteurs regroupés en coopératives et engagés dans une logique d'augmentation des

© Dunod. La photocopie non autorisée est un délit

rendements qui va engendrer, selon Laporte et Touzard, une gouvernance corporatiste à trois étages :

– au niveau local, la coopérative vinicole est l'unité de base qui fonde l'action politique locale.
– au niveau régional, les fédérations départementales de coopératives constituent un réseau de notables qui assurent face à l'État la « défense du midi viticole », en s'appuyant au besoin sur des manifestations de masse.
– au niveau national, le dispositif réglementaire, issu du « statut viticole », permet des garanties sur la nature du produit, un contrôle sur le potentiel de production et des interventions pour stabiliser le marché.

Avec ce système de gouvernance corporatiste, le Languedoc se devait aussi d'avoir un relais efficace à l'Assemblée nationale pour servir de courroie de transmission entre le local et le national. Le statut de « député du vin » est une constante dans cette région depuis le début de XXe siècle, dont l'un des plus illustres est Edouard Barthe, président du groupe viticole à l'Assemblée nationale et instigateur du fameux « statut viticole » des années trente, appelé « lois Barthe ». Ce parlementaire de l'arrondissement de Béziers a construit son assise électorale durant l'entre-deux guerres sur la base de relations durables avec les milieux viticoles locaux et en obtenant au niveau national des mesures de soutien en faveur de la profession [82].

Ensuite, Raoul Bayou assurera la continuité de ce rôle de député du vin sans interruption de 1958 jusqu'à 1986. Cette tradition perdure aujourd'hui encore avec Paul-Henri Cugnenc, député UMP de l'Hérault, à l'origine du rapport « vin et santé ». C'est en qualité de chef de service à l'hôpital Georges-Pompidou, de vice-doyen de la faculté de médecine Necker et propriétaire d'un petit vignoble que ce dernier défend habilement les mérites du vin en se fondant, en bon scientifique, sur ce que les chercheurs ont appelé le *french paradox*, ce phénomène qui révèle qu'une faible quantité de vin consommée quotidiennement a des effets bénéfiques sur la santé, notamment dans la prévention des maladies cardio-vasculaires. Cette action du lobby viticole n'a d'autre objectif que de desserrer les verrous de la Loi Evin, en promulguant le vin comme une exception culturelle où il ne serait plus un alcool comme les autres mais deviendrait un aliment. « L'inestimable patrimoine que représente notre viticulture est parfaitement compatible avec une politique efficace et objective de santé publique. » [83]

Cette gouvernance de défense des intérêts de la profession viticole languedocienne va fonctionner tant que le Languedoc-Roussillon représentera un poids prépondérant au sein de la filière nationale du vin et tant que la viticulture représentera un secteur dominant de l'économie régionale. Cette situation crée les conditions pour qu'un accord tacite s'opère entre l'État qui recherche la stabilité politique dans le Midi et les notables régionaux qui obtiennent des mesures favorables aux revenus viticoles, s'assurant ainsi des réélections à répétition [84].

Mais cette situation a une conséquence fâcheuse. Elle conduit à un enfermement des acteurs viticoles dans les routines de la production de vins de table et dans un réflexe conditionné de défense automatique de leurs intérêts. De nombreuses organisations viticoles utilisent fréquemment le terme « défense » attestant leur inclination à la préservation systématique de leurs propres intérêts : l'Association de Défense des Viticulteurs des Crus Corbières et Minervois (ADVCCM), le Syndicat de Défense du Cru Blanquette de Limoux (SDCBL), le Mouvement de Défense des Exploitations Familiales (MODEF)...

Cette logique va buter sur plusieurs obstacles au premier rang desquels la construction européenne qui se bâtit sur le

© Dunod. La photocopie non autorisée est un délit

principe du libre-échange. L'ouverture des marchés va permettre tout d'abord aux producteurs italiens, puis aux espagnols, de venir concurrencer les vins de table français. L'insertion croissante dans le marché international intensifie encore plus la concurrence et la déréglementation des marchés. Les accords du GATT puis ceux de l'OMC se traduisent par des mesures visant à faciliter l'accès aux marchés et à réduire les aides et subventions.

Cette libéralisation du marché et le retrait de l'État qui en découle va d'autant plus affaiblir le système de défense languedocien que les notables méridionaux auront du mal à conserver leur capacité de négociation dans ces espaces de plus en plus élargis. L'Europe et la mondialisation imposent des réformes profondes.

MARS 1976, LA FUSILLADE DE MONTREDON

Cette évolution va susciter une radicalisation des actions viticoles jusque dans les années soixante-dix qui marquent un tournant, notamment en raison de l'impasse dans laquelle les dérives violentes vont plonger les viticulteurs. En 1975, plusieurs opérations commandos sont menées sur le terrain par les CAV (Comités d'Action Viticole) : barrages routiers, vidanges de camions-citernes transportant des vins italiens, saccages de cuves de négociants soupçonnés d'importer du vin de mauvaise qualité... Un des épisodes les plus amusants est celui de l'arrachage des panneaux de signalisation dans la nuit du 31 juillet, date où les « juilletistes » et les « aoûtiens » se croisent en masse sur les routes du sud. Cette journée d'action, baptisée opportunément « terres perdues », créa une pagaille gigantesque [85].

Mais l'épisode le plus dramatique est sans conteste celui du 4 mars 1976, plus connu sous le nom de « la fusillade de Montredon ». Ce jour-là, à la suite d'une manifestation organisée à Narbonne, les viticulteurs décident de barrer la voie ferrée au pont de Montredon. Les autorités interviennent pour stopper les viticulteurs dans leurs agissements. L'affrontement est alors inévitable entre les forces de l'ordre et les viticulteurs. Au comble de la colère et du désespoir, certains vont sortir leurs armes à feu et se mettre à tirer. La fusillade fera deux morts, le viticulteur languedocien Pouytes et le commandant Le Goff, commandant de CRS d'origine bretonne.

Montredon va devenir un symbole de la lutte des viticulteurs languedociens tous unis contre l'État. Mais il marquera aussi la fin d'une époque. Le système corporatiste a vécu car il a atteint ses limites, d'autant plus qu'il faut se rendre à l'évidence : depuis de nombreuses années, la consommation de vin en France, et notamment celle de vins de table, ne cesse de baisser. De 133 litres par habitant adulte et par an en 1960, la consommation est passée à 107 litres en 1970, 90 litres en 1980, 73 litres en 1990 et 57 litres en 2000. À cette baisse constante de la consommation de vin de table en France, s'ajoute la concurrence indirecte de produits de substitution comme la bière ou les boissons non alcoolisées (jus de fruits, sodas, eaux minérales...). Enfin, la baisse occasionne aussi un changement des exigences des consommateurs : le travailleur de force de la classe ouvrière, gros consommateur de vins énergétiques, laisse la place aux employés des services qui boivent avec plus de tempérance. Aux vins de table indifférenciés, souvent produits de coupages réalisés dans des chais éloignés des zones de production, on préférera des vins plus identifiés. Si l'on boit moins, on tente de boire mieux [86].

Pour atténuer cette baisse continue qui induit structurellement des excédents de la production, l'Europe va verser des aides compensatoires. Les récoltes de 1973, 1974 et 1976 ont

© Dunod. La photocopie non autorisée est un délit

été pléthoriques et ont considérablement déstabilisé les marchés européens. Certains responsables viticoles profitent alors de cette situation pour négocier le maintien du pouvoir d'achat : le fameux prix garanti. Cela passe surtout par la distillation des excédents que finance la Communauté européenne. Selon Jacques Dupont, « le productivisme atteint alors le comble de l'absurde. Plus on produit, plus on distille, plus on verse de subventions. La subvention devient une prime à la production, une incitation stimulante à produire du vin qui ne se vendra pas. » [87]

Le modèle productiviste atteint donc ses limites, d'autant que pendant ce temps la région Languedoc-Roussillon a vu d'autres pans de son économie, notamment le tertiaire, se développer fortement, atténuant ainsi le poids de la viticulture régionale. C'est cet affaiblissement qui mettra un terme à la carrière politique de Raoul Bayou, le député du vin, lequel renoncera à se représenter aux législatives de 1986 après que le parti socialiste ne lui a proposé que la troisième place sur une liste élue à la proportionnelle. Cette troisième place est à la mesure de l'effacement relatif de la filière viticole au sein même du département dont la forte croissance urbaine entraîne une concurrence accrue pour l'usage du foncier à des fins immobilières.

Tout ceci fait qu'au début des années quatre-vingts, le climat de la viticulture régionale est morose ; l'arrivée au pouvoir des socialistes en 1981 n'a rien arrangé puisque, pour un temps au moins, c'est le parti régional de gauche qui est aussi aux commandes de l'État. La représentation traditionnelle des rapports hostiles entre la Région et l'État ne peut plus jouer son rôle mobilisateur.

Yves Gilbert résume la problématique de la manière suivante : « Comment concilier le maintien d'un réseau de très petites exploitations (dont la survie n'est rendue possible que par la coopération) et la mise en application des progrès techniques ? Comment faire collaborer un négoce de plus en plus concentré, engagé dans des processus de modernisation et soumis aux règles du marché (national et international), et des producteurs très encadrés par des mesures de protection qui tendent à figer leurs comportements face aux évolutions du commerce ? »[88].

Toutes ces évolutions vont conduire progressivement la viticulture régionale à se transformer, par une réduction importante de l'offre viticole régionale qui va modifier à son tour la composition du vignoble : moins de vins anonymes et plus de vins de pays et vins de cépages.

Curieuse coïncidence que cette année « 1976 » pour les deux régions concernées par notre affaire. Montrédon marque la fin de la logique quantitativiste du Languedoc tandis qu'au même moment, le *blind test* de Paris marque le début de l'essor qualitatif de la viticulture californienne. Ces deux événements portent en eux les germes du conflit qui va éclore vingt-cinq ans plus tard à Aniane.

LA « GRANDE TRANSFORMATION » DU MIDI ROUGE[89]

C'est à ce moment que de nouvelles élites converties à la thèse de la qualité, seule alternative pour sortir le Midi viticole de la crise structurelle dans laquelle il se trouve, arrivent à enclencher le processus de transformation de la filière viticole régionale. C'est principalement à travers l'action de deux figures dominantes de la modernisation de l'économie régionale, Philippe Lamour et Jules Milhau, que l'idée de qualité va progressivement prendre forme après la Seconde Guerre mondiale. Le premier est un ancien avocat parisien, proche collaborateur de Jean Monnet au Conseil Supérieur au Plan, qui présidera pendant vingt ans la

© Dunod. La photocopie non autorisée est un délit

Compagnie Nationale d'Aménagement du Bas-Rhône Languedoc qui orientera tout le devenir du Midi Méditerranéen. C'est lui qui va créer le label VDQS (Vin Délimité de Qualité Supérieure). Le second est professeur d'économie à la faculté de droit de Montpellier et fondateur de la cave coopérative de Saint-Chinian. Il propose la création d'une vaste appellation régionale Coteaux du Languedoc. Ces deux hommes « éclairés » sont des précurseurs dans une région qui était habituée à gérer sa rente de situation. Leur militantisme en faveur d'une viticulture de qualité n'a pas toujours été bien compris car, au départ, le litre d'appellation contrôlée coûtait en effet plus cher à produire, compte tenu des rendements limités, du coût du ré-encépagement nécessaire et du manque de notoriété des vins du Midi [90]. La création d'appellations contrôlées dans le Languedoc fut un long processus qui mit plusieurs décennies avant d'aboutir à des résultats concrets. En 1989, Jacques Gravegeal, un autre pionnier issu de la FDSEA (Fédération Départementale des Syndicats d'Exploitants Agricoles) et proche de Jacques Blanc, alors président du Conseil régional, s'impose face au candidat de la viticulture traditionnelle. Gravegeal est porteur de l'appellation « Vins de pays d'Oc » créée en 1987 et obtient le soutien massif de la région. À leurs débuts, les vins de pays d'Oc représentaient 200 000 hectolitres. Quinze ans plus tard, ils dépassent le cap des 3,5 millions d'hectolitres. On passe lentement mais sûrement d'une approche de « secteur viticole » à une approche du « territoire vinicole », où la figure historique du « député du vin » semble s'effacer au profit d'un leadership politique s'affirmant autour de l'institution régionale.

L'autre promoteur de cette révolution tranquille de la qualité est l'Europe qui avec ses primes à l'arrachage (jusqu'à 30 000 francs l'hectare pour un arrachage définitif) a permis à cette région de renouer avec les vins de qualité. Dans les années quatre-vingts, environ 30 % du revenu agricole régional provenait des subventions européennes. Aujourd'hui, le Languedoc-Roussillon est la deuxième région française exportatrice de vins d'appellations contrôlées. Menée il y a trente ans, la politique de restructuration du vignoble languedocien commence à porter ses fruits. Cette politique qualitative repose sur plusieurs mesures dont l'une des plus spectaculaires est le fort arrachage des vignes. De 1968 à 1988, le vignoble français est passé de 1,2 million d'hectares à 960 000. Les arrachages ont surtout eu lieu en Languedoc-Roussillon où le vignoble est passé en trente ans de 450 000 à 300 000 hectares. À cela, il faut ajouter dès 1973, un plan de financement permettant à ceux qui le souhaitent de planter des cépages de qualité plus recherchés par la demande actuelle. Finis le cinsault, le carignan et surtout l'aramon qui pouvait donner jusqu'à 250 hectolitres à l'hectare pour produire du pinard. La tendance est au grenache, à la syrah...

Cette montée progressive vers la qualité n'est pas passée inaperçue des professionnels du vin, au premier rang desquels de jeunes viticulteurs originaires du Bordelais ou de la Bourgogne, qui vont trouver plus facilement des terres abordables en Languedoc-Roussillon pour s'installer. Mais la région va aussi attirer des producteurs étrangers, comme par exemple l'Australien James Herricks qui a joué les pionniers dans la région. « Nous sommes arrivés il y a dix ans, et nous avons planté 175 hectares de chardonnay. À l'époque, le vignoble était manifestement mal exploité : on y faisait du vin de table avec une sorte de fatalisme. Notre analyse technique nous a conduit à penser qu'il s'agissait d'un bon terroir avec un bon climat qui pouvait produire du très bon vin », résume-t-il[91]. C'est cette même ambition qui animera les Mondavi lors des négociations relatives à leur projet d'implantation : « Notre défi ici sera de rétablir l'image des vins du Languedoc. Elle le mérite : il y a longtemps

© Dunod. La photocopie non autorisée est un délit

une appellation comme Saint-Georges d'Orques était renommée et ses vins servis sur la table des rois. Depuis, la région était devenue synonyme de vins pas chers et de gros rendements. Bien sûr, depuis une trentaine d'années – quoique avec un certain retard par rapport à d'autres régions en France et ailleurs – la tendance est à nouveau de produire des vins de qualité sur les meilleurs terroirs. Cependant, l'infrastructure n'a pas permis aux étoiles de la région de briller autant qu'elles le devraient, au moins en dehors de la France où le public a la mémoire courte en matière de vin et ne connaît pas le passé glorieux de la région ». L'ambition affichée des Mondavi est claire, ils veulent « participer à la renaissance et à la redécouverte par le public du Languedoc, un superbe terroir méconnu ou sous-estimé pendant très longtemps »[92].

Progressivement, la vigne va laisser sa place aux vins. Ce changement atteste d'un nouveau métier. La figure dominante du viticulteur, simple producteur de raisins, s'efface progressivement au profit de celle du vigneron, éleveur de vin, qui doit gérer de multiples interactions existantes entre les cépages jusqu'à la mise en bouteille. « Aujourd'hui un vigneron, c'est une filière à lui seul. » Cette évolution n'est pas sans conséquence sociale. Selon William Genieys, politologue, « l'invention du métier de vigneron-vinificateur correspond à un processus social plus général de "retour au terroir" impliquant des catégories sociales très hétérogènes (...) Plus d'un tiers de ces acteurs sont extérieurs à la région. » « La plupart de ces "néo-vignerons" ont exercé préalablement une profession intellectuelle ou libérale. On rencontre des architectes, des chirurgiens, des journalistes, des professeurs, des fonctionnaires, des ingénieurs, des chefs d'entreprise... Les valeurs dominantes de la profession se trouvent modifiées. La pratique de l'innovation devient la caractéristique majeure de ce nouveau groupe professionnel. L'individu affirme de plus en plus sa personnalité à travers le développement de pratiques singulières, la façon de travailler la vigne (retour aux vendanges manuelles...), la technique de vinification mais aussi par des approches différenciées du vin. La personnalisation du produit relève souvent de la quête d'un prestige social en cours d'acquisition »[93]. À la trilogie traditionnelle « la vigne, le viticulteur, le Midi », Genieys oppose celle « des vins, des vignerons, des terroirs ». « J'ai le sentiment d'être sorti du Moyen Âge, d'être passé de la civilisation du cassoulet et des manifs musclées à celle de la communication inspirée par les psys, les socios et l'Internet. Je suis en quelque sorte l'interface entre, d'une part, une période historique de grande mutation, mais qui conservait encore de nombreux usages et techniques anciennes et, d'autre part, le XXIe siècle »[94] déclare Jean Clavel, vigneron et figure syndicale régionale, qui fut lui aussi un ardent défenseur des appellations contrôlées en Languedoc.

Cette montée progressive vers une viticulture de qualité a aussi un revers, celui d'engendrer un émiettement. Au Midi rouge « unitaire et contestataire » succède une région fragmentée où les terroirs constituent autant de lieux où certains groupes sociaux affirment leurs identités mais aussi leurs divisions. Au sein même du Languedoc, les différents crus n'ont pas suivi les mêmes voies. « À Montpellier s'est créé le Syndicat des Coteaux du Languedoc, devenu une AOC. Minervois, de son côté, a lancé depuis dix ans une stratégie d'identification des terroirs qui s'est traduite par la création d'une sorte de premier cru ou d'appellation villages : Minervois la Livinière AOC. Corbières, le plus vaste, vit dans le déchirement entre syndicat officiel regroupant une partie des indépendants et l'ensemble des coopératives et syndicats rebelles composés uniquement d'indépendants. Le Gard, avec ses costières-de-nîmes, a opté pour le Rhône et a adhéré au Comité interprofessionnel des vins de la vallée du Rhône »[95].

© Dunod. La photocopie non autorisée est un délit

Certains, comme Bernard Devic, militent pour une AOC régionale « Languedoc », à l'instar de « Bordeaux » ou « Bourgogne », véritables marques ombrelles connues dans le monde entier.

À l'évidence, ce que le Languedoc a gagné en qualité, il l'a perdu en unité. Cette évolution attise les tensions internes entre vignerons produisant des vins très différenciés dans un Midi qui s'est fragmenté en de multiples terroirs [96]. Le viticulteur, simple fournisseur de matière première à la « coopé » qui produit du pinard, a cédé la place au vigneron, esthète, amoureux de son métier et fier de son terroir. C'est certainement à Aniane que cette évolution est la plus manifeste.

ANIANE, LE DOMAINE DES DIEUX

« Dans tous les pays d'Europe occidentale où mûrit le raisin, nous retrouvons la main des moines » [97]. Aniane ne déroge pas à cette règle. Situés à proximité de deux abbayes de renommée mondiale, Gellone et Saint-Benoît, les vignobles d'Aniane offrent des vins d'une gamme étendue, allant du vin de pays au vin d'appellation contrôlée. Ces vins sont issus d'une tradition vieille de plus de 1 000 ans. En effet, c'est en 777, après les invasions barbares, que le futur saint Benoît d'Aniane arrive dans l'Hérault et lance la construction de la puissante abbaye d'Aniane, puis vingt ans plus tard de l'abbaye de Saint-Guilhem le Désert. Dans le même temps, il crée le vignoble qui va donner les premiers vins d'Aniane. À cette époque, le choix de l'implantation d'une abbaye est lié à la possibilité de cultiver la vigne pour satisfaire au besoin de l'Eucharistie « Pas d'abbaye sans un grand vin devant ses murs » se vérifie brillamment à Aniane. [98]

Les qualités du terroir sont exceptionnelles. C'est l'éminent géographe Henri Enjalbert qui découvre les vertus de ce terroir. Aimé Guibert ne se lasse pas de raconter cet épisode crucial :

« Au printemps 1972, il était revenu très enthousiaste d'une petite randonnée solitaire dans le domaine. Et à la fin du repas, il s'est lancé dans une grande démonstration. "Guibert, savez-vous que vous avez un terroir de poussières glaciaires qui peut donner l'un des plus grands vins rouges au monde ?"... Ce jour-là, j'avais mis cette déclaration sur le compte des effets plutôt joyeux d'un usage intensif et très amical du vin. J'étais même étonné qu'un homme aussi posé soit tout d'un coup aussi excité. On était au printemps. En septembre, il m'envoyait 21 pages manuscrites. C'était la déclaration fondatrice de Daumas Gassac »[99]. C'était également du même coup la genèse d'un terroir extraordinaire, celui d'Aniane.

Dans son étude, le professeur Enjalbert démontrait qu'il y avait au milieu du massif de l'Arboussas, un terroir constitué d'un sol profond, pauvre en humus et en matières végétales, riche en fer et en cuivre qui était similaire aux meilleurs climats bourguignons. Ici, la vigne pouvait plonger ses racines profondément, souffrir pour chercher sa nourriture et produire ainsi des vins à arôme fin. Les sols parfaitement drainés permettent aux racines de la vigne de ne jamais rencontrer d'humidité. Le second atout de ce petit vignoble provient du microclimat. La vallée est entourée par les plaines chaudes du Languedoc, tandis que son climat plus frais retarde de trois semaines la vendange par rapport à la moyenne en Languedoc. Ce sont ces caractéristiques physiques et climatiques qui font du territoire d'Aniane un lieu d'exception propice à la production d'un grand vin... et à sa mise en scène. Aimé Guibert fait paraître une publicité dans *La Revue du Vin de France* en novembre 2001 portant le titre suivant : « Dernières nouvelles du Grand Opéra de Nature : Vent du Nord et Chocs thermiques ». L'article relate, d'une part, les effets positifs du vent du Nord qui va concentrer le jus, les sucres et les arômes en déshydratant des raisins devenus minuscules et,

© Dunod. La photocopie non autorisée est un délit

d'autre part, les conséquences des écarts de température. Lorsque la température passe de 2 degrés au petit matin à 32 degrés dans l'après-midi, soit seize fois la température de la nuit, ces énormes chocs thermiques entraînent une fabuleuse extraction de couleurs et de tanins. « Cela ne se rencontre qu'au Sahara ou en Mongolie » souligne Aimé Guibert qui conclut : « Que les amis de la vallée du Gassac se le disent, un grand vin griffu et taillé pour le siècle, vient de lâcher ses dernières bulles de fermentation ; dans un mois il va rejoindre le bon lycée de barriques merrain pour faire des écoles » [100].

Daumas Gassac est une des réussites les plus originales et certainement la plus inattendue dans le monde du vin languedocien de ces trente dernières années. Il fallait du culot et du talent pour planter des cépages aussi différents que le viognier, le chardonnay, le petit manseng en plein pays du pinard planté en plaine. À Aniane, Aimé Guibert est longtemps passé pour un « fada » pour avoir écouté son ami Enjalbert qui l'avait convaincu que le sol des coteaux autour de son vieux moulin d'Aniane pouvait donner un très grand cru. « Je suis allé consulter tous les grands oracles du Languedoc. Pour leur demander : “Comment fait-on un grand vin ?”. Et ces grands professionnels me répondaient, invariablement : “Si on pouvait faire un grand vin de garde en Languedoc, cela se saurait”. On se moquait de moi » [101]. Ce rôle pionnier, Aimé Guibert l'assume pleinement aujourd'hui quand il explique que « Daumas-Gassac, c'est la pierre fondatrice de la prospérité vinicole du Languedoc » [102].

À Aniane, Guibert n'est pas le seul vigneron à produire un vin de pays d'exception. D'autres vignerons talentueux le côtoient. La famille Vaillé par exemple est aussi une des plus grandes signatures d'Aniane. Leur domaine de la « Grange aux Pères », repris au début des années quatre-vingt-dix, comprend aujourd'hui quatorze hectares de vignes, situés dans la zone d'appellation Coteaux du Languedoc. Lui aussi a été pris pour un fou lorsqu'il plante « plus haut que tous les autres des Mourvèdres, Syrahs et Cabernets dans un véritable océan de cailloux blancs, où seules quelques touffes de violettes poussent au printemps. Des vignes conduites si bas qu'on les devine à peine, un bijou de vignoble qui révèle une volonté trempée dans l'acier : gagner sur la nature le petit espace nécessaire à l'accomplissement d'un rêve de grand cru héraultais »[103]. Parmi les cépages plantés figurent aussi le bordelais Cabernet-Sauvignon et le bourguignon Chardonnay. « Par souci d'honnêteté, même si les volumes ne sont pas importants, je les déclare ; aussi mes vins ne peuvent être commercialisés que sous l'étiquette "vin de pays" » déclare Laurent Vaillé. Un vin de pays dont l'engouement est tel qu'il est impossible de répondre à toutes les commandes. « Il m'est toujours difficile de refuser une vente mais la demande dépasse l'offre » signale-t-il tout en ajoutant qu'il reçoit toujours au caveau pour parler de son travail et présenter ses vins. Ce vigneron languedocien peut être fier du chemin parcouru depuis son premier millésime, en 1992[104].

La famille Vaillé est globalement favorable à l'arrivée de Mondavi. « Si Mondavi s'implante ici, ce sera une reconnaissance mondiale du terroir d'Aniane. » Consciente de la renommée mondiale des Mondavi, la famille Vaillé sait que la concentration des talents est un atout pour un terroir : « Ce qui fait la force d'une région viticole, c'est la pluralité. Jadis, il n'y avait que notre voisin Guibert de Daumas-Gassac. Aujourd'hui, nous sommes quatre ou cinq producteurs cotés dans le coin, donc plus à même d'intéresser les circuits commerciaux. Dans ce sens, Mondavi ne peut qu'apporter un plus ». Ces autres producteurs sont Château Capion, le Domaine des Conquêtes de la famille Ellner, le Domaine de Croix Saint Privat d'Olivier Ferrié

© Dunod. La photocopie non autorisée est un délit

et même le minuscule Domaine des Barralets de Jean-Yves Rua qui se limite à une superficie de moins de 2 hectares, pratiquant les vendanges à la main avec tri du raisin.

Véritable domaine des dieux, le terroir d'Aniane a été touché par la grâce dionysiaque. Après plusieurs années passées à prospecter le Languedoc, les fils Mondavi et David Pearson, leur représentant en France, arrêtent leur choix sans aucune hésitation : « Nous avons su tout de suite que notre quête s'arrêtait ici. Lorsque, avec l'œnologue Thomas Duroux, nous avons arpenté le massif de l'Arboussas, à Aniane, ce fut un choc émotionnel fantastique. Aucun doute : ce serait sur ces garrigues élevées au-dessus de la vallée de l'Hérault que naîtrait le grand vin que souhaite créer la famille Mondavi en Languedoc. Nous sommes ici sur des calcaires lacustres, avec une élévation procurant des nuits fraîches propices à une bonne maturité des raisins. C'est vraiment un endroit exceptionnel sur lequel nous allons pouvoir créer un produit de grande classe » [105].

À Aniane, les talents ne manquent pas et cette concentration de vignerons atypiques et singuliers crée les conditions de l'excellence. Il suffit de visiter ces vignobles extraordinaires, implantés dans la roche, pour juger de la détermination des vignerons de ce petit coin de France. Bien qu'à plus petite échelle que la Napa Valley, Aniane est aussi un *cluster* du vin, mais de vins d'exception. « Il faudra bien qu'un jour on parle de l'entité "Aniane – Saint-Jean-de-Fos – Montpeyroux – Jonquière" qui constitue une sorte de "Médoc" sur les pentes du Larzac » [106] s'exclame Aimé Guibert qui ne se doute pas encore qu'une bataille dans laquelle il jouera les premiers rôles se prépare prochainement sur cette terre bénie des dieux du vin.

3

AIMÉ GUIBERT, FURIA FRANCESE !

ASTÉRIX LE GAULOIS

UNE FAMILLE RUINÉE PAR LA MONDIALISATION, RECONVERTIE DANS LE VIN

Depuis plusieurs siècles, les industries de la peau et du gant rythment la vie économique de la ville de Millau. Plus précisément, c'est en 1193 que l'on recense le premier peaussier, Pierre Raymond, dans les Archives de cette ville de l'Aveyron. Outre la production du lait de brebis pour le Roquefort, l'élevage du mouton procure des peaux d'une exceptionnelle qualité qui ont permis à Millau de devenir la « Capitale du Gant » de réputation mondiale. Aujourd'hui encore, de nombreux artisans et artistes investissent les ruelles de la ville classée « ville et métiers d'art ».

C'est de cette région et de cette industrie de la peau qu'est originaire Aimé Guibert, ou plus exactement Aimé Guibert de la Vaissière. Mais cet Aveyronnais, diplômé de Sciences Po, se considère d'abord comme un paysan. Huguenot, il qualifie Louis XIV « d'Hitler du XVIIe siècle » en souvenir de ses ancêtres enterrés dans les bois. Jusqu'en 1985, il était à la tête d'une des plus belles affaires de cuir de Millau. Mais cette année-là, Aimé Guibert est obligé de déposer son bilan. « L'industrie française du cuir fut la première victime de la mondialisation. En un an, 100 000 travailleurs ont été fauchés lorsqu'on décida en 1985 d'ouvrir le marché du cuir aux produits coréens pour favoriser la conclusion d'un contrat aéronautique », déclare-t-il amer [107]. Ce passé glorieux et cette ruine rapide expliquent la psychologie de cet entrepreneur. De son passé de producteur et de négociant dans le cuir, il conservera l'amour du savoir-faire, la maîtrise des techniques anciennes et traditionnelles et le plaisir du travail bien fait. De son passé d'industriel, il retiendra l'âpreté de la concurrence et nourrira une hantise de la mondialisation et de ses conséquences parfois dramatiques en termes d'emplois. « J'ai eu l'extrême plaisir de gérer le grand métier du cuir à Millau et l'infini chagrin de le perdre » [108]. Ce premier contact avec la mondialisation qui l'a touché de plein fouet est décisif pour comprendre la suite de l'affaire Mondavi. Aimé Guibert a été ruiné une première fois par la mondialisation. Sans doute voit-il dans l'implantation de Mondavi les signes avant-coureurs d'une mondialisation rampante à la porte de son vignoble. Si le passé le rattrape, il ne veut pas qu'il se répète.

Avec Daumas Gassac, l'industriel du cuir est devenu un paysan sûr de son combat : sauver le lien qui unit l'homme à la terre. « Tout ce qu'il y a de riche et de fécond en Europe vient de la terre. La paysannerie a créé le paysage, les courbes de niveaux, les églises romanes, tout ce qui fait la beauté de la civilisation européenne. Voilà ce qu'il faut sauver. » [109] Comme tous les Aveyronnais, Guibert est farouchement attaché à la terre, depuis sa patrie natale jusqu'à son lieu d'exil à Aniane. Jules Michelet disait des Français et de la France : « Chez nous, l'homme et la terre se tiennent, et ils ne se quittent pas ; il y a entre eux un légitime mariage, à la vie, à la mort. Le Français a épousé la France ». Guibert a épousé Aniane et la haute vallée du Gassac où il produit depuis une vingtaine d'années un des vins de pays les plus recherchés du Languedoc. « Quand on regarde la terre, il faut choisir sa position. Veut-on être "moderne" comme un Australien, qui va planter sa vigne pour 15 ans et la forcer à produire massivement 35 000 kg à l'hectare. Ou veut-on être vigneron traditionnel, que sa vigne vive 90 ou 100 ans, et même si pour cela, elle produit dix fois moins, moins de 4 000 kg à l'hectare. Mais je vais recevoir de la nature, non un vin mais un millésime marqué par le sol, le climat, les conditions d'une année et très peu par l'homme. »[110]

Aimé Guibert présente tous les traits d'un vrai patron traditionnel français. On peut le qualifier à la fois de patriarcal, de patrimonial et de patriotique. Patriarcal, car c'est un père de famille qui aime s'entourer de ses enfants pour travailler la vigne. À plusieurs reprises, il communique sur son vin et son métier en associant ses descendants à ses réussites. Patrimonial, car il s'ingénie à préserver le patrimoine de sa famille et celui de sa région. Aimé Guibert est fidèle à « l'admirable civilisation paysanne, à l'héritage du trésor des cépages méditerranéens, aux paysages qui sont la fortune gratuite des générations ». Patriotique, car en préservant le Massif de l'Arboussas d'une implantation étrangère, il s'évertue à sauvegarder une partie du patrimoine régional.

DAUMAS GASSAC : LA POTION MAGIQUE

Entouré par une forêt de 1 500 hectares, le domaine Mas de Daumas Gassac a une surface de 80 hectares, alternant 40 hectares plantés en vignes et 40 autres hectares laissés en garrigue sauvage. Avec une production maximale de 200 000 bouteilles, cela fait un rendement de 5 000 bouteilles à l'hectare soit 37 hectos en moyenne par hectare.

Le vin produit par les Guibert est un vin de pays. Entité languedocienne créée par décret en 1987, les vins de pays d'Oc représentaient 200 000 hectolitres au départ et dépassent aujourd'hui le cap des 3,5 millions d'hectolitres. La raison d'un tel succès est la liberté d'utiliser toute la gamme des grands cépa-

© Dunod. La photocopie non autorisée est un délit

ges français. Ce qui est refusé aux vins d'appellation. « Tandis que les AOC en sont à discuter avec l'INAO (Institut National des Appellations d'Origine [111]) du pourcentage de carignan qu'il convient d'associer au grenache et à la syrah pour garder la "typicité" du cru, les vins de pays d'Oc expérimentent et découvrent en permanence de nouvelles adaptations terroirs/cépages. La plupart se définissent comme des "vins de soif", au bon rapport plaisir/prix. D'autres, en revanche, situés sur des terroirs qu'ils jugent exceptionnels, se positionnent comme des grands crus. [112] » C'est le cas de la cuvée Daumas Gassac. Aujourd'hui, Daumas Gassac pourrait être en appellation contrôlée si son vin ne comportait pas de cabernet-sauvignon, interdit en appellation.

Mais Aimé Guibert refuse les contraintes et revendique cette liberté pour mieux se singulariser. « La liberté se paie. Savez-vous que le Languedoc est l'une des régions du monde où le vigneron n'est pas libre de planter les cépages de son choix ? Désobéir à la bureaucratie à deux têtes (Paris et Bruxelles), cela vaut d'être "rejeté d'appellation" ? Nous avons, nous à Daumas Gassac, choisi la liberté, hors de l'appellation. » [113]

Nul n'est prophète en son pays ! C'est en Angleterre, l'un des marchés les plus concurrentiels qui sert de valeur test aux plus grands producteurs, que le Daumas Gassac a rencontré ses premiers fidèles et le début de la gloire, avec des articles élogieux par les grands critiques anglo-saxons du vin. En France, médias et grandes institutions ont finalement été forcés de saluer le phénomène. Guibert se souvient encore de sa première cuvée de 1978. Un souvenir amer. « J'avais le sentiment de ne pas être prêt, malgré les conseils d'Emile Peynaud [114] que j'avais convaincu de superviser nos travaux. Mon vin était lourd, noir comme de l'encre, peu engageant car les vins de vigne jeune ont des tanins particulièrement astringents. Et pourtant, Emile Peynaud estimait, lui, que c'était gagné. Que la preuve était faite que la vallée du Gassac pouvait donner un grand vin de garde. Mais cette confirmation était largement insuffisante pour nous ouvrir les portes du négoce. À 25 francs la bouteille, personne n'en voulait. Pendant des mois, j'ai eu le sentiment d'être allé à la ruine. »[115]

Pour échapper à la faillite, Guibert sollicite son ancien réseau du cuir. Il adresse une lettre à ses anciens amis et leur demande de vanter les mérites de son vin. Cette lettre du désespoir aura une issue heureuse. Un jour, David Gilmour, un Anglais patron d'un restaurant à Londres, vient déguster le vin au domaine. « Je ne l'avais jamais vu auparavant. C'était un petit homme réservé, silencieux, muet même. Pendant un temps infini, il a dégusté ; il faisait des glouglous, il recrachait. Puis, au bout de plusieurs dizaines de minutes de ce silence lourd, pesant, il a levé les yeux vers moi. Et il a dit : "Donnez-moi tout ce que vous pouvez me donner au prix que vous voudrez". Il a pris une première commande de 3 000 bouteilles. David Gilmour était propriétaire du *Bow Wine Vaults*, un restaurant gastronomique de Londres où se rassemblaient des *golden boys* œnophiles. Il avait aussi une cave à vins et une entreprise de distribution de vins pour les cafés et restaurants »[116]. C'est ainsi que naît la légende de Daumas Gassac.

Daumas Gassac est aujourd'hui reconnu à l'étranger comme un des grands vins de France. Un journaliste anglais lui a même consacré un ouvrage, *Daumas Gassac, a birth of a grand cru,* préfacé par Emile Peynaud qui écrit « Il est bien rare pour un œnologue d'assister à la naissance d'un grand cru »[117]. Ses bouteilles sont vendues en primeur à 15 euros hors taxes. Fidèle à la bonne culture aveyronnaise selon laquelle il n'est jamais bon

© Dunod. La photocopie non autorisée est un délit

d'étaler sa richesse, Guibert fait profil bas : « Cette histoire de vin de table le plus cher du monde est une légende. En l'espace de vingt ans, j'ai à peine multiplié le prix par quatre ». Certes, mais il faut alors ajouter qu'aujourd'hui certaines de ses bouteilles se monnayent selon le millésime entre 150 et 450 € l'unité sur le marché mondial.

Pour évoquer ce vin d'exception, personne mieux que Guibert lui-même n'excelle. Chaque année, il met littéralement en scène son propre vin. Les envolées lyriques sont dignes d'un Cyrano de Bergerac. À tel point que pour son millésime 2003, il s'est vu décerner par les rédacteurs de la *Revue des œnologues* la distinction de la meilleure information « pour sa précision et son esthétique rédactionnelle » : « (…) Cette année la sagesse paysanne traditionnelle triomphe en absolu sur la viticulture industrielle. Que dire donc de ce millésime 2003, qui finit de fermenter dans la fraîcheur de nos souterrains ? Que c'est un vin de feu et d'opulence, un vin qui possède tout en abondance mais rien en excès ; un vin où le fruit, le gras et l'alcool sont dans un équilibre idéal. Richesse tannique rarissime (indice de Folin proche de 80) ; très bel équilibre acide pH 3,5 ; acidité malolactique 3,4. Voilà un millésime qui témoigne d'une perfection opulente, ardente, d'un fruité légèrement rôti par le soleil, un vin généreusement vineux ; (…) un vin objectivement PARFAIT. Et pour le vieil homme confronté à la mesure du temps, mieux que parfait, puisque ce millésime-là, mes fils Samuel et Roman l'auront cosigné, en partage avec moi ! ».

On retrouve dans ces lignes toute la patte d'Aimé Guibert mais aussi sa griffe ; il égratigne l'industrie incarnée par les vins du Nouveau Monde qui s'oppose à la « sagesse paysanne traditionnelle ». Sa prose habituelle fait référence à la nature (l'eau, l'air, la terre, le feu...), à la tradition, à l'attachement à la terre et à la vigne toujours riche et profonde, où l'homme, entouré de sa famille, de ses proches, de ceux qu'il aime et qui lui renvoient cet amour, est au cœur du miracle de la nature. Personne n'est dupe, pas même ceux qui octroient ce prix d'éloquence à Guibert. Ce texte qui se veut anti-marketing est en fait un excellent message publicitaire ! D'ailleurs, les membres du jury ne relèvent-ils pas justement la précision et l'esthétique rédactionnelle, les deux conditions reines du bon message marketing ?

Aimé Guibert joue de la corde sensible à l'adresse de certains amateurs de vins, nostalgiques d'une production à l'ancienne. Son lyrisme ne fait qu'ajouter à l'efficacité du message et se mêle à des références techniques. Derrière l'art oratoire, se cache aussi un maître artisan. Le discours imagé et champêtre des bosquets de la garrigue, des sources dans la vallée et des clairières côtoie le lexique précis et technique de l'indice de Folin, du pH et de l'acidité malolactique. Les métaphores, les allégories et les superlatifs s'entremêlant aux chiffres et aux formules scientifiques, attestant de la maîtrise et de la plénitude d'un métier que Guibert exerce avec brio. Il est même bon stratège car en terminant son message par l'évocation de ses deux fils, Samuel et Roman, il prépare sa clientèle à la transmission, moment toujours délicat et épineux dans la vie des affaires.

GUIBERT, LE TRIBUN

Mais Guibert ne se contente pas de cette image de vigneron d'excellence produisant un vin de légende. Il a fait Sciences Po. Il s'intéresse donc naturellement à la géopolitique de son secteur en voie de modernisation, en proie à la mondialisation qui ne cesse de gagner du terrain, à l'image de ces vins du Nouveau Monde qui réduisent chaque année les parts de marché des vins français

© Dunod. La photocopie non autorisée est un délit

à l'étranger. Aimé Guibert veut incarner un monde en résistance, en lutte contre les multinationales, les industriels, l'État et la bureaucratie européenne. Dans un billet d'humeur publié dans *La Revue du Vin de France* et intitulé « La mort annoncée du vigneron français : Le Sabre ou la Corde », Aimé Guibert s'en prend à tous les maux de la viticulture actuelle au premier rang desquels les Américains. Voici comment il campe le décor de cette tension croissante entre pays traditionnels et pays du Nouveau Monde : « D'un côté, il y a les mâchoires glacées du mondialisme qui ne fait pas de quartier. (...) gros moyens financiers installant le monopole de grandes marques dans les grandes surfaces ; (...) Nous voilà condamnés à "boire des marques".

De l'autre côté, la technocratie parisienne et le ministère sont au moins aussi clairs : "Arrachez, disparaissez, vous aurez un peu d'argent" ; sous-entendu, quittez votre terre, laissez la place vide, allez rejoindre les chômeurs déracinés que nous avons créés systématiquement depuis quarante ans, sur les ruines de la petite paysannerie, avec l'appui très efficace de la FNSEA. (...)

Derrière ce langage de mort, à peine voilé, se profilent les grands projets d'aménagement du territoire au bénéfice de nouvelles routes, hôtels, résidences hôtels, centres de tourisme. (...) Le paysage humanisé va disparaître, la bonne table française fera place aux surgelés, les Français perdant le lien irremplaçable de la fourchette avec leur sol et leurs racines ».

Plus loin, Aimé Guibert rajoute : « Face à ces deux sinistres menaces, quelle voix s'élève ? Qui hurle la colère républicaine, la colère de la sagesse ? ». Aimé Guibert, bien entendu, pour lequel « il n'y a pas de pays sans paysans, pas de pays sans une production agricole qui façonne l'âme d'un peuple comme son corps ». Guibert veut être un leader d'opinion. En publiant régulièrement des communiqués de presse, il réactualise un discours traditionnel dont la trame principale est la défense du modèle social français, fondé sur une viticulture encore largement dominée par les petits exploitants familiaux et locaux. Guibert crée un discours qui pourfend les grands (la grande distribution, le grand capital, les grandes marques, les grands projets, le pouvoir centralisateur et sa machine bureaucratique, l'État modernisateur et les grands syndicats) et défend la petite paysannerie traditionnelle française. Les propos relèvent souvent du même registre : les menaces, les peurs, la ruine, la mort...

À l'évidence, Guibert a choisi le rôle de celui qui défend et hurle sa colère contre les systèmes bureaucratiques et les grandes multinationales des pays du Nouveau Monde dont les dérives mercantiles et productivistes dénaturent les savoir-faire traditionnels. Il clame sa fidélité à l'admirable civilisation paysanne « qui a fait l'Europe, la beauté de ses paysages, la gourmandise de sa table » et voue aux gémonies les vins industriels « aux goûts stéréotypés à la mode où le fruit se cache derrière la tisane de copeaux de bois ». La lutte contre la McDonaldisation de la société trouve ici un point d'illustration manifeste [118] : « Les vignerons français ont toujours produit des vins vrais, intimement liés au climat et au sol, où chaque "millésime" était un "continent" original à découvrir et à comprendre. La quantité n'était pas le problème. Ils produisaient très bon, mais peu. Cela était accepté. Il n'y avait pas encore la grande distribution, pour réclamer un produit stable en grandes quantités. Faites le parallèle avec les vins modernes : productions considérables basées sur une régularité de type industriel, excluant complexité et surprises d'évolution. Et bien les Crus Daumas Gassac appartiennent à ce passé où la complexité passe devant la quantité, où le palais accepte chaque année de rencontrer les différences des millésimes » [119]. Quel contraste saisissant entre un Guibert qui

© Dunod. La photocopie non autorisée est un délit

connaît le moindre arpent de ses terres et un Tim Mondavi qui rêve de faire du vin sur la planète Mars !

Guibert est un homme qui suscite autant d'admiration que d'agacement. Son franc parler lui a valu de solides inimitiés dans la région. Mais la virtuosité de son vin trouve chaque année de nouveaux aficionados. « Il faut remercier Aimé Guibert pour sa clairvoyance : ennemi de la pensée unique, défricheur de mentalités, il a permis aux viticulteurs languedociens d'oser lever la tête » [120] peut-on lire dans un guide des grands vins de la région. En Languedoc, au pays des vins du soleil, Aimé Guibert est un vigneron têtu qui ose les remises en cause. Les Mondavi ne seront pas déçus du voyage. Ils trouveront face à eux un homme déterminé à les empêcher de défricher le massif de l'Arboussas. Cette opposition inspirera la presse internationale qui comparera, à de nombreuses reprises, Guibert à Astérix et ses amis chasseurs de sangliers à des « tribus gauloises » résistant à l'oppression des multinationales [121].

4

MONDAVI À ANIANE : UN DÉBUT DIFFICILE MAIS PROMETTEUR

LE CADEAU DE CÉSAR

LA CRÉATION DE VICHON MEDITERRANEAN : UNE MARQUE DILEMME

Le premier contact de Mondavi avec le Languedoc fait suite à l'épidémie de phylloxera qui s'abat sur le vignoble californien au début des années 90. Mondavi s'intéresse alors aux vignobles languedociens pour faire face à ses besoins d'approvisionnement. Il se met à acheter des vins de cépages en vrac par l'intermédiaire de négociants régionaux comme Skalli ou Jeanjean. Les vins acheminés par bateau jusqu'à la Napa Valley sont mis en bouteille en Californie pour maîtriser la qualité. Mondavi découvre alors la diversité et la complexité des terroirs du Languedoc. Cette région lui plaît.

En 1995, Mondavi décide d'utiliser la consonance française de sa marque Vichon pour en faire une marque de vins français. Deux ans plus tard, poursuivant sa stratégie de valorisation marketing, Mondavi accentue son ancrage en Languedoc. La marque Vichon devient *Vichon Mediterranean* et atteint le rang de quatrième marque de vins français aux États-Unis. En février 1998, il installe sa filiale commerciale française à Montpellier. Le directeur général de cette filiale est David Pearson. C'est lui qui aura en charge le dossier de l'implantation des

Mondavi à Aniane. David Pearson a une formation en œnologie en plus d'une formation commerciale. Il dispose d'une solide expérience puisqu'il a été précédemment chargé de la promotion sur le marché américain de Mouton Cadet de la famille Rothschild. Tim Mondavi, le second fils de Robert, sera l'œnologue en chef. Cette année-là, 10 % des vins seront embouteillés en France, dans le cadre d'un partenariat avec la société de négoce Jeanjean, pour se familiariser avec les pratiques françaises.

D'après les communiqués de presse de 1998, le groupe à ce stade n'envisageait que des projets vagues dans cette région. Mais en annonçant d'emblée un programme d'investissement de 180 millions de francs, il dévoile une double stratégie d'implantation :

– Installer une cave de vinification d'ici 2002 pour alimenter un produit dans le segment des *premiums* sous la marque Vichon Mediterranean.
– Acheter un domaine viticole d'ici 2004 pour produire un *ultra premium*, produit au domaine et commercialisé sous une marque plus personnalisée.

Le Vichon Mediterranean est une marque de vins de cépage qui se décline en six produits : pour les vins blancs – du sauvignon blanc, du viognier et du chardonnay ; pour les rouges – du merlot, du cabernet et de la syrah. Le prix de la bouteille oscille entre 7 et 10 $.

Soutenue par une campagne marketing de 13 millions de francs, la marque Vichon Mediterranean connaît un réel succès aux États-Unis dès 1997. Mais en 1998, le vignoble californien décimé par le phylloxera a retrouvé et même amélioré son niveau des années 90. La concurrence s'intensifie, surtout sur le segment des premiums. Les ventes de Vichon Mediterranean s'effondrent de 30 % en moins d'un an. Alors que la winery produit 400 000 caisses par an, la demande stagne à 280 000. Mondavi est alors contraint de baisser son prix de vente en dessous des 7$. Un autre facteur a aussi joué dans cette baisse rapide. Le goût de Vichon Mediterranean produit en France n'a plus rien à voir avec le goût originel de la marque Vichon rachetée en 1985. Le changement de source d'approvisionnement a surpris certains clients et a conduit certains d'entre eux à changer de marque au moment où l'offre s'est intensifiée. En 1999, Mondavi annoncera même dans son rapport annuel une dévaluation de plus de 6 millions de dollars de son stock de Vichon [122].

Cette baisse du prix n'arrange pas les affaires des Mondavi, plus habitués à gérer des *super premiums* et des *ultra premiums*, voire des *icons*, que des vins de gamme inférieure. La marque Vichon crée une incohérence dans la gamme des vins du groupe. De plus, le contrôle de la qualité, source essentielle de l'avantage concurrentiel de Mondavi, n'est pas assuré en Languedoc comme pour les autres marques. Ce vin est né d'une crise, celle du phylloxera. Lorsque Mondavi décide de vinifier son vin en France, il se fournit auprès d'une dizaine de vignerons languedociens. « Dans un premier temps, il n'y a pas de suivi strict de la fabrication du vin. Or, même si le Languedoc monte régulièrement en qualité, cette région produit traditionnellement des vins à base de cépages à gros rendement de qualité médiocre. Les exploitants confient leur récolte à des coopératives qui prennent en charge la vinification et la mise en bouteille. Ce mode d'approvisionnement ne réussira pas à Mondavi puisque les amateurs de Vichon traditionnel ont été désagréablement surpris par le goût du nouveau *Vichon Mediterranean* et s'en sont rapidement détournés »[123].

Cependant, malgré les déboires de son premier contact avec le Languedoc, Mondavi maintient son attention pour cette région qu'il considère comme un lieu d'excellence. Tim Mondavi fait une visite en Languedoc en novembre 1998, se dit très impres-

© Dunod. La photocopie non autorisée est un délit

sionné par la qualité des vins qu'il déguste et rencontre à cette occasion le maire de Montpellier, Georges Frêche, qui se rendra à son tour chez Mondavi un an plus tard, lors d'une mission d'affaires dans la région de San Francisco. Ces rencontres entre les Mondavi et le maire marquent le premier temps du processus d'installation du groupe en Languedoc.

En 1999, le groupe annonce officiellement son intention d'ouvrir un centre de vinification (*winery*) à proximité de la capitale régionale. Il annonce également vouloir acheter un vignoble en Languedoc-Roussillon afin de réaliser un vin très haut de gamme. La recherche de ce terroir exceptionnel s'effectuera sur une zone allant du Gard à l'Aude et pourrait s'étendre sur 20 à 50 hectares.

Pour sa recherche de vignoble, Mondavi sollicite la SAFER (Société d'Aménagement Foncier et d'Établissement Rural), société d'économie mixte dont une des missions est de faciliter l'exploitation agricole. Mais cela n'aboutit pas. La SAFER et Mondavi n'arrivent pas à travailler ensemble car le projet présenté n'est pas assez précis. La SAFER exige des projets suffisamment aboutis parce qu'elle n'est pas rémunérée au temps passé mais seulement aux résultats. De plus, répondant à une mission de service public, elle doit satisfaire toutes les demandes et ne peut donc pas avoir de relations privilégiées. Le groupe Mondavi conventionne alors un agent immobilier spécialisé dans les transactions de vignobles. Il devient leur intermédiaire vis-à-vis de certaines administrations. C'est lui qui prospectera, démarchera et négociera pour le compte de Mondavi.

LE RAPPORT « PIÉMONT DE SERANNE »

Au moment où le groupe Mondavi lance sa recherche d'un vignoble, le Conseil général du département de l'Hérault est en grande réflexion sur la mise en place d'une nouvelle politique viticole davantage orientée vers la qualité.

L'envergure du projet des Mondavi et la notoriété de ce pionnier de la Napa Valley suscitent d'emblée un vif intérêt de la part d'André Vézinhet, le président du Conseil général de l'Hérault. Selon ce dernier, le projet peut apporter un gain de notoriété en termes d'image au département et des retombées positives pour l'économie viticole locale.

Même s'il n'est pas dans la vocation d'un conseil général de se préoccuper des projets d'investissements d'une entreprise privée, les collectivités territoriales sont aujourd'hui de plus en plus confrontées au problème de l'attractivité économique de leur territoire. Attirer les investisseurs nationaux et étrangers est un gage de développement économique et surtout de création d'emplois. En conséquence, un nombre croissant de mairies, de conseils généraux et régionaux se dote de cellules ou de services d'orientation des investissements et de prospective territoriale. Mais la conséquence de ces nouvelles politiques d'attractivité est d'instaurer aussi une concurrence territoriale de plus en plus vive. Les Mondavi définissant leur zone de recherche du Gard jusqu'à l'Aude en passant par l'Hérault, trois départements sont donc en concurrence.

En bon stratège territorial, le président Vézinhet se verrait bien inciter les Mondavi à réaliser leurs investissements dans le département dont il a la charge plutôt que dans ceux de ses voisins.

À la demande du Conseil général, une étude est réalisée en janvier 2000. Cette étude vise à comparer les politiques des caves coopératives des communes limitrophes de la région du « piémont de Seranne » : Aniane, Montpeyroux, St-Jean-de-Fos, St-Guilhem-le-Désert, Puéchabon. Le rapport « piémont de Seranne » est rendu le 15 mars 2000 au Conseil général. Ses principales conclusions se déclinent en quatre points :

© Dunod. La photocopie non autorisée est un délit

– Aniane détient un terroir au potentiel exceptionnel. Le massif de l'Arboussas basé sur cette commune est d'une richesse rare. Le microclimat et la qualité du massif sont propices à la production d'un grand cru.
– Le renom des domaines Daumas Gassac et La Grange aux pères, les deux fleurons de la région, conforte l'excellence du terroir d'Aniane.
– Un écart important entre les caves particulières d'Aniane et la cave coopérative est mis en évidence. La cave coopérative d'Aniane produit des vins de pays à faible valeur ajoutée. Une stratégie de valorisation de la qualité est fortement recommandée. Une opportunité de collaboration avec la cave coopérative d'Aniane semble donc à saisir.
– Les terroirs d'Aniane sont majoritairement convoités par des personnes extérieures à la commune. Il est aussi indiqué que sur la commune, la SAFER n'a exercé son droit de préemption que pour 3 % des acquisitions. C'est une donnée importante qui signifie que les barrières administratives pratiquées sur la commune d'Aniane sont faibles.

Tous les éléments pour produire un grand cru sont présents à Aniane. Ce rapport a vraisemblablement influencé Mondavi dans son choix d'implantation. C'était un des buts recherchés. L'autre finalité de ce rapport était de fournir des éléments objectifs permettant de justifier un soutien du Conseil général au projet Mondavi. Fin mars 2000, David Pearson, le représentant de Mondavi, contacte la mairie d'Aniane.

LA PRÉSENTATION DU PROJET AU CONSEIL MUNICIPAL D'ANIANE

La présentation du projet devant le Conseil municipal a lieu en avril 2000. L'objectif est l'installation d'un vignoble haut de gamme. Le maire André Ruiz rêve de faire d'Aniane « le Saint-Émilion du Languedoc ». L'investissement privé annoncé est de :

– 22 millions de francs pour la création d'un vignoble de 50 ha sur le massif de l'Arboussas. Il est également prévu de créer un domaine proche de celui de Daumas Gassac et La Grange aux pères.
– 33 millions de francs pour la création d'un chai de très haute technicité, dont la capacité serait de 300 000 bouteilles par an. Il s'agirait de la cave permettant de vinifier les vins du domaine.

Pour installer leurs bâtiments, hangars et cave, la société Mondavi est aussi à la recherche de terrains privés. Son agent immobilier négocie avec deux vendeurs privés, pouvant lui fournir 25 hectares à la périphérie du massif. Nous verrons par la suite que ces 25 hectares vont être à l'origine des premières difficultés de l'implantation du groupe Mondavi en Languedoc.

Conscients que leur projet d'implantation peut susciter quelques oppositions, les Mondavi se prémunissent d'éventuelles critiques en prenant plusieurs précautions. Tout d'abord, ils contactent l'association des écologistes de l'Euzières dans le but d'implanter le vignoble en protégeant la garrigue. La solution envisagée est de découper les 50 hectares en petits îlots de 5 hectares alternant bois et vignes dans un souci de respect de la chasse, et dans l'optique d'une lutte anti-incendie (vignes coupe-feu). « Nous travaillons depuis des mois avec des écologistes pour répertorier les espèces végétales à préserver et proposons de créer des îlots de 5 hectares au sein de la forêt pour ne pas transformer l'Arboussas en un vaste terrain vierge »[124].

Un autre élément préoccupe l'investisseur californien : la chasse. Elle se pratique depuis des générations sur le massif de l'Arboussas. En théorie, la chasse et la vigne ne sont pas incompa-

© Dunod. La photocopie non autorisée est un délit

tibles. Rien n'empêche de chasser dans les vignes. Il suffit de maintenir l'accès libre aux chasseurs. Le groupe est conscient que son installation peut affecter la chasse. Pour éviter que le terrain de chasse de la commune ne se réduise, Mondavi propose une cohabitation entre la viticulture et la chasse.

Ces précautions montrent clairement que la société Mondavi est déjà parfaitement informée des interlocuteurs qu'elle sera amenée à rencontrer et qu'elle devra convaincre. La mairie, qui soutient l'installation, impose immédiatement certaines conditions qui relèvent des valeurs inhérentes au village : la chasse et la viticulture. La chasse est mentionnée dans un article de la convention administrative d'occupation. Le propriétaire, autrement dit la commune, conserve son droit de chasse et se réserve le droit de chasser. En conséquence l'occupant doit souffrir de l'exercice de la chasse aux périodes autorisées par la loi. Le maire propose un bail emphytéotique (d'une durée de 99 ans), ce qui permet à la commune de ne pas se déposséder de ces terrains communaux (elle possède 800 hectares de bois) et de préserver le droit de chasse. La redevance est assise sur la quantité de vin produite annuellement. Elle est fixée à 1 % du chiffre d'affaires et ne pourra être inférieure à 5 000 Euros. Le maire souhaite aussi qu'il n'y ait pas d'aménagement routier pour arriver au massif. Il ne souhaite pas non plus de construction de la cave sur le massif, car cela entraînerait un flux trop important de visiteurs.

Les Californiens acceptent toutes ces conditions. Robert Mondavi aime les Français et sait « qu'ils peuvent être terriblement chauvins »[125]. Il a appris à les connaître depuis sa rencontre et son association avec le baron de Rothschild. Il ne veut pas passer en force ; ce n'est pas son style. Il veut s'adapter à la culture locale et défendre son projet « dans le plus profond respect du savoir-faire des vignerons locaux ». Il sait qu'il doit

« respecter l'histoire, la culture et les hommes de cette région »[126]. David Pearson, son représentant en France, déclare à Jacques Ramon, un des premiers journalistes à suivre l'affaire, que le projet des Mondavi « n'est pas de faire une *winery* à l'américaine mais bien un domaine qui produise un grand cru à partir de ses seuls raisins. C'est un projet français qui s'intègre parfaitement dans la culture languedocienne »[127]. Tout semble pour le mieux dans le meilleur des mondes !

L'ANNONCE DU PROJET À LA POPULATION

Lorsque le maire d'Aniane décide d'informer la population, il privilégie l'annonce aux groupes d'influence du village, les viticulteurs et les chasseurs, en excluant le reste de la population pourtant concernée par le projet d'implantation.

Dans un premier temps, il réunit les vignerons pour évoquer les conclusions du rapport « piémont de Seranne ». Sur la base de ce rapport, le maire conclut à la nécessité de défricher une partie du massif de l'Arboussas pour permettre à certains viticulteurs locaux de s'agrandir et à d'autres de pouvoir s'installer. Mais un mois après cette entrevue avec le maire, les viticulteurs apprennent par la presse que Mondavi avait un projet d'installation sur Aniane depuis six mois. Cela provoque un premier malentendu sur les intentions du maire à propos de la défriche. Les vignerons comprennent que l'objectif envisagé par le maire est moins de défendre les intérêts des viticulteurs locaux que d'attirer le groupe Mondavi à Aniane. « Donc c'était évident que la défriche n'allait pas être faite pour nous, mais c'était quand même l'occasion qu'on en profite. »[128]

Le blocage au sein de la population viticole est immédiat, la réticence des coopérateurs aussi. Dans un communiqué de presse de son conseil d'administration, la cave coopérative d'Aniane

© Dunod. La photocopie non autorisée est un délit

regrette d'avoir été informée un peu tard du projet Mondavi. Cela perturbera par la suite les discussions entre Mondavi et les dirigeants de la cave coopérative. Mais la plus vive opposition est à mettre à l'actif des chasseurs de sangliers.

Lorsqu'André Ruiz appelle Marcel Pouget, le président de la fédération locale de chasse, et quelques chasseurs à venir s'entretenir avec lui au sujet de la chasse, il y a déjà des rumeurs concernant l'installation de Mondavi à Aniane. À la demande des chasseurs, le maire évoque l'installation probable du groupe californien mais reste vague. À la sortie de la mairie, les chasseurs ne sont pas convaincus et le manque de transparence les inquiète. Ils décident d'organiser une réunion publique. pour rallier le public à leur cause : la défense du massif. Cette réunion marque la toute première phase de la mobilisation du mouvement contestataire. Plus de cent vingt personnes sont présentes. Mais du coup, les chasseurs sont aussi les premiers à informer et à sensibiliser la population. L'information est donc biaisée par les intérêts propres aux chasseurs. Dans les tracts qu'ils distribuent, ils dénoncent la destruction de 248 hectares de bois communaux.

Lors d'une autre réunion publique organisée par les chasseurs, le maire vient s'expliquer publiquement sur le projet. De toutes les réunions qui se tiendront pendant l'affaire, c'est la seule à laquelle il participera. Mais lors de cette unique apparition, il commet une erreur tactique. Il vient accompagné d'un représentant du Conseil général. Cette présence sème le doute sur « qui décide dans le village ». Pour Marcel Pouget, l'influence du Conseil général devient évidente : « Il ne nous a fait aucun exposé, il aurait dû nous parler, en plus il est venu avec un gars du Conseil général qui n'avait rien à faire là. »[129]

Le 30 mai 2000, la population apprend par le *Midi Libre* que le groupe Mondavi étudie son implantation sur Aniane depuis deux ans. *Le Paysan du Midi*, édité la même semaine, publie un entretien accordé par André Ruiz, le maire d'Aniane, suite à l'annonce du projet Mondavi. À cette occasion, celui-ci affirme n'être au courant du projet que depuis le mois de mars. « J'avais, en décembre 1999, proposé au Conseil général de lancer une étude sur la possibilité d'un Contrat Territorial d'Exploitation global aux agriculteurs du coin. Dans ce cadre, nous avons envisagé de faire une défriche dans le massif de l'Arboussas. Je pense que c'est ce qui a amené Mondavi à nous contacter, bien que leur projet semble antérieur. David Pearson a pris contact avec moi en mars 2000. Il m'a demandé de céder à sa société 50 hectares de garrigue. Nous en avons discuté en conseil municipal. »[130]

Cet article va faire jaser. Comment un maire peut-il ignorer ce qu'il se passe sur sa commune ? La population devient suspicieuse à l'égard du projet. *A priori*, on pourrait penser que ces personnes ne sont pas directement concernées par la défriche du massif, à l'inverse des chasseurs ou des viticulteurs. Mais plusieurs d'entre elles perçoivent la démarche politique du maire comme un procédé antidémocratique. Elles se sentent aussi concernées que quiconque à participer à l'adoption du projet. Le choix du maire d'informer prioritairement certains groupes à l'exclusion d'autres suscite un sentiment d'injustice. Au sein de la commune, la conviction que la population n'a pas été informée de manière équitable va devenir tenace. L'association « Vivre à Aniane », dont un des buts associatifs est la citoyenneté, ne décolère pas. Pour un membre de cette association, le maire a estimé qu'il n'était pas en face d'un public suffisamment « éclairé » en politique. Il aurait jugé bon de prendre des initiatives de développement local, sans faire participer le village à la décision.

« Transparence, information, communication semble être le triptyque défaillant du maire dans la présentation du projet

© Dunod. La photocopie non autorisée est un délit

économique. Comme souvent, ce manque de transparence va alimenter des rumeurs. L'une d'entre elles colporte que le projet consiste à implanter une *winery* à l'américaine, avec toute la violence symbolique que comporte le terme pour le monde viticole languedocien. Une *winery*, c'est une « usine à vin ». Pour Marcel Pouget, le président de l'association des chasseurs, il n'y a pas l'ombre d'un doute : « 3,5 millions d'investissements, en comptant tirer 40 hectolitres par hectare sur 50 hectares, ça fait 2 000 hectolitres par saison, ça ressemble quand même à une winery, à une usine à vin »[131].

Très rapidement, le groupe Mondavi est confronté à une résistance. Le groupe va devoir rectifier sa communication pour démentir l'implantation d'une winery et pour faire adhérer l'ensemble de la profession viticole à son projet. En sus des rumeurs et des mécontentements, les Mondavi vont devoir affronter une autre tourmente : la préemption de la SAFER.

LA TACTIQUE DÉFENSIVE DE LA SAFER POUR CALMER LE JEU

Les Sociétés d'Aménagement Foncier et d'Établissement Rural (SAFER) sont des organisations d'économie mixte. Ces structures, sans équivalent dans le monde, ont été mises en place à la demande de la profession agricole dans les années 60. Les SAFER contribuent à la politique des structures agricoles et ont pour mission l'aménagement du territoire rural et la protection de l'environnement. Leur mission est fixée par le Parlement et ce sont les commissaires au gouvernement des finances et les commissaires au gouvernement de l'agriculture qui contrôlent toutes leurs opérations. Les SAFER ne sont donc pas totalement libres des transactions qu'elles effectuent. Pour un Californien habitué à fonctionner dans le cadre d'une économie libérale, ce type de structure doit paraître exotique.

Les orientations politiques des SAFER sont prises au sein du conseil d'administration. Parmi leurs actionnaires, on compte le syndicalisme agricole, les grands organismes agricoles comme le Crédit agricole, la mutualité agricole, la fédération des caves coopératives, la fédération des caves particulières, etc. Plus récemment, les communes et les départements ont été invités à faire partie du conseil d'administration en raison de leur pouvoir en matière d'aménagement et de financement.

Depuis la loi du 8 août 1962, la SAFER jouit d'un droit de préemption qui lui permet de s'opposer à la réalisation d'opérations contraires aux orientations définies dans les plans d'orientation agricole. Lorsque la SAFER reçoit par un notaire un compromis de vente, si elle veut faire acte de préemption, une commission de préemption composée des mêmes représentants des organismes actionnaires et syndicats de professionnels se réunit pour se prononcer sur l'opportunité de la préemption. Ensuite, l'avis doit être entériné par le conseil d'administration. Une préemption exercée, par exemple, pour permettre l'installation d'un jeune agriculteur est pratiquement sûre d'aboutir car c'est un des rôles impartis à la SAFER. Cependant, la préemption est une décision rare. On peut lire sur le site web de la SAFER du Languedoc-Roussillon que la préemption est « un droit très peu exercé : en 2002, le nombre de préemptions réellement engagées sur la Région Languedoc Roussillon concerne moins de 0,5 % des transactions réalisées »[132]. Le rapport « piémont de Seranne » insistait également sur ce point, en indiquant que sur Aniane, la SAFER n'avait que très rarement exercé son droit de préemption. Sur les terres visées par Mondavi, 50 hectares relèvent du domaine public loué par bail emphytéotique par la mairie d'Aniane. Cette surface communale échappe totalement au contrôle de la SAFER puisqu'elle n'est pas « préemptable ». Mais 25 hectares concernent des domaines

© Dunod. La photocopie non autorisée est un délit

privés appartenant à deux vendeurs. Lorsqu'en mai 2000, le notaire transmet les compromis de vente de ces parcelles à la SAFER, cette dernière décide d'exercer son droit de préemption. Cette décision fait l'effet d'une bombe. « What is SAFER ? », s'étrangle Mondavi. « Nous savions que l'histoire de l'agriculture en Languedoc a été marquée par des épisodes de protestations passionnés, mais je dois avouer que nous avons sous-estimé la réaction négative de certains… » [133].

La décision de la SAFER a été prise « à la demande du milieu viticole » pour permettre l'installation de jeunes viticulteurs et protéger l'agriculture familiale.

Plusieurs scénarios sont désormais possibles. Les commissaires du gouvernement ont deux mois pour trancher. Ils peuvent accepter la préemption… ou la refuser, ce qui s'est déjà vu par le passé. Enfin, si la préemption est acceptée, Mondavi peut postuler, comme d'autres candidats, à l'achat de ces terres. Dans tous les cas de figure, le Californien fait savoir qu'il maintient son projet, conscient depuis le début que son installation ne peut voir le jour que dans l'intérêt bien compris de l'ensemble du monde viticole de la commune [134]. En juillet, on apprend que la préemption est acceptée par les commissaires au gouvernement.

Pourquoi y a-t-il eu préemption ? Selon le directeur général de la SAFER, la décision a été prise à l'unanimité de toutes les « familles » de la profession confondues. La SAFER éprouve le besoin de freiner le projet pour que les Mondavi se remettent en cause. Un technicien à la SAFER justifie cette préemption à l'unanimité par le fait que la SAFER ne voulait pas être évincée de l'opération. Elle souhaitait être partie prenante au nom de l'ensemble du milieu viticole local pour que la cave coopérative d'Aniane ne soit pas oubliée et que des partenariats puissent se mettre en place. « C'était ça le message, nous n'étions pas anti-Mondavi, nous étions pour Mondavi à condition que cela ne se passe pas à l'américaine, en écrasant tout le monde, mais que cela se fasse en souplesse et en partage. »[135]

Avec la préemption de la SAFER, la communication du projet Mondavi change de direction. La famille met désormais en avant la volonté de travailler de concert avec l'ensemble du secteur viticole, d'englober dans son projet les coopérateurs et de faire bénéficier de la défriche l'ensemble des vignerons. David Pearson, le représentant des Mondavi sur place, comprend que c'est la seule voie pour accéder à ce foncier. La SAFER va donc orienter Mondavi vers un partenariat nécessaire avec la cave coopérative. « Nous étions favorables à Mondavi, mais nous étions encore plus favorables au partenariat avec la cave coopérative. »[136]

Comme toujours, la décision de préemption ne fait pas que des heureux. L'agent immobilier mandaté par les Mondavi, éprouve une profonde amertume. Pour un agent foncier, la préemption est toujours vécue comme une sanction. C'est un frein aux négociations. Avec la procédure de préemption, la SAFER devient propriétaire des terres et les négociations se jouent entre elle et les acquéreurs éventuels (donc entre l'agent immobilier mandaté par Mondavi et la SAFER). Mondavi se retrouve en concurrence avec trois autres acheteurs.

L'agent fonciet se dit surpris par cette préemption. En dix ans, il n'a connu que trois préemptions sur trois cents négociations qu'il a gérées. Un journaliste de l'édition Terres de vins du *Midi Libre*[137] relève que le groupe américain et son agent auraient mal mesuré l'impact psychologique suscité par l'installation de ce « géant américain » sur un territoire à forte tradition viticole. Il estime que la SAFER aurait pu faire le lien entre le groupe Mondavi et le monde viticole local. Au lieu de remplir ce rôle,

© Dunod. La photocopie non autorisée est un délit

force est de constater que la position de la SAFER a plutôt constitué un obstacle à l'implantation du groupe à Aniane.

Autre conséquence de cette décision, la municipalité décide elle aussi de revoir ses propositions en faveur des viticulteurs locaux. En plus des 50 hectares loués aux Mondavi, la municipalité décide de louer 25 hectares supplémentaires du massif aux vignerons locaux candidats à la défriche. Ce changement va avoir un effet positif. Il va créer les conditions d'un rapprochement entre Mondavi et la coopérative locale d'Aniane. La profession viticole va progressivement se rallier au projet et certains opposants actifs vont changer radicalement de position du fait de cette nouvelle opportunité.

LE GRAND RETOURNEMENT DE LA PROFESSION VITICOLE LOCALE

La municipalité propose donc une autorisation de défriche sur 75 hectares de ses terrains communaux. 50 hectares sont attribués à Mondavi et les 25 hectares restants sont ouverts aux vignerons de la commune se portant candidats. Ces 25 hectares vont attiser les convoitises et créer les conditions propices à un ralliement au projet Mondavi de la profession viticole locale, plutôt hostile au départ.

Une opportunité fabuleuse se présente notamment aux caves particulières qui peuvent bénéficier de quelques hectares sur le massif de l'Arboussas pour compléter leur panel de terroirs variés et qualitatifs. Sachant que la défriche se fait au frais des vignerons, tous les propriétaires de caves ne peuvent postuler. Parmi les candidats déclarés, on compte plusieurs domaines du terroir d'Aniane.

En raison de ces candidatures, il devient difficile pour les viticulteurs locaux de condamner la défriche puisque certains de leurs confrères et voisins pourraient en bénéficier. Les coopérateurs d'Aniane vont eux aussi se laisser séduire. Jean Huillet, le président des vignerons coopérateurs de l'Hérault, plaide en faveur de relations de partenariat entre les coopérateurs et Mondavi et condamne les attitudes hostiles à l'implantation étrangère. « On peut être contre Mondavi parce que c'est Mondavi, mais alors il faut empêcher de s'installer tous ceux qui ont ce type d'approche. Or jusqu'à aujourd'hui, la profession régionale dans son ensemble a laissé s'installer des gens avec des projets de production. Aujourd'hui les vignerons du Languedoc n'ont pas un a priori de rejet systématique des éléments étrangers à la région. C'est un simple constat. » [138]

Le syndicat des vignerons des terroirs d'Aniane demande au maire de donner priorité aux vignerons locaux par rapport à une société internationale quant à l'aliénation de biens communaux. Au début, la méfiance reste de mise. Un notable viticole local résume bien la situation : « Si Mondavi achète les meilleurs raisins de la commune, la cave n'a plus qu'à fermer. Nous vivons ici sur un système d'exploitations familiales incompatible avec ces visions du Nouveau Monde. Nous voulons rester nombreux sur nos terres, en paysans responsables et libres, non-dépendants de modèles importés » [139].

Cependant, dans le but de rallier à son projet le maximum de viticulteurs locaux, Mondavi poursuit ses négociations avec la cave coopérative soucieuse de trouver son intérêt dans ce projet. Des points d'accords sont trouvés dans différents domaines. Mondavi et la coopérative prévoient notamment de réaliser une cuvée commune qui sera commercialisée par Mondavi. Ce partenariat garantit aux 238 adhérents de la coopérative un revenu de 50 000 francs par hectare (et non un prix à l'hectolitre, pour limiter les rendements en quantité). De plus, une prime de

© Dunod. La photocopie non autorisée est un délit

700 francs par hectolitre produit sera versée à la coopérative qui, grâce à cette manne, pourra investir dans la fabrication de vins de qualité. Les professionnels locaux voient s'ouvrir un avenir radieux grâce à cette implantation et prévoient de mettre en place une stratégie de qualité, fondée sur le terroir, leur permettant de lutter contre la concurrence de l'Afrique du Sud, de l'Argentine, de l'Italie et de l'Espagne.

Pour les Mondavi, cette confrontation est un choc culturel. La cave coopérative n'est pas une structure de production familière pour les Américains. Celle d'Aniane date de 1924, ce qui en fait l'une des plus anciennes du département de l'Hérault. Mais face aux nouvelles opportunités proposées par Mondavi, la cave va assouplir sa position. En juillet 2000, le conseil d'administration de la cave coopérative avalise le projet proposé par la société américaine : tester la production d'un grand vin par la cave. Mondavi participera, sous forme de prêt, aux investissements que doit faire la cave coopérative, évalués à 4 millions de francs. Mondavi vendra ce vin sous la marque Arianna détenue à 50 % par la coopérative et à 50 % par la multinationale. Ce même mois, certains coopérateurs passent une convention avec Mondavi afin de tester une cuvée haut de gamme en ramassant le vin à la main.

Ces négociations permettent d'établir une nouvelle solution gagnante pour de nombreux protagonistes. On se trouve dans un jeu gagnant-gagnant-gagnant, le fameux « *win-win-win* » de la Silicon Valley, où le troisième gagnant est le territoire.

Finalement, Mondavi va être soutenu par de nombreux professionnels de la région. Ainsi, le directeur de la cave coopérative d'Aniane est très favorable à ce partenariat : « nous avons un besoin urgent d'être accompagnés par un groupe du calibre de Mondavi. Les petits producteurs sont encore engagés dans la production à fort débit, un secteur qui se détériore face à la nouvelle concurrence du monde entier. L'arrivée de Mondavi nous offre l'aide financière pour entrer dans la vinification de qualité, ainsi que l'accès à un réseau mondial de ventes. C'est une occasion fabuleuse ». De même, la famille Skalli, l'un des principaux négociants en vin du Languedoc et propriétaire de la marque Fortant de France à Sète, déclare se réjouir de l'arrivée de l'américain « car Robert Mondavi va dynamiser cette région, la propulser à l'échelle internationale et apporter une noblesse à cette appellation qui n'est qu'un "Vin de Pays de l'Hérault" pour le moment et difficile à vendre à l'export » [140]. Il faut dire que les Skalli connaissent bien les Mondavi, notamment depuis qu'ils ont investi dans les années 80 dans la Napa Valley, à quelques *miles* de la *Robert Mondavi Winery*. La tournure des événements semble ravir André Vézinhet, le président du Conseil général : « J'ai noté avec plaisir l'évolution des mentalités. Je me suis rendu sur le site plusieurs fois durant l'été, tout le monde joue le jeu. Sauf Aimé Guibert qui dénonce la mondialisation tout en profitant du marché. Je suis confiant : Mondavi viendra à Aniane dans une logique vigneronne » [141].

La profession viticole adhère donc finalement au projet des Mondavi. Toute ? Non ! Un irréductible gaulois « résiste encore et toujours à l'envahisseur » : Aimé Guibert, le propriétaire du prestigieux « Daumas Gassac ».

© Dunod. La photocopie non autorisée est un délit

5

L'AFFAIRE SE CORSE
LA ZIZANIE

Si la profession viticole se rallie progressivement au projet, l'opposition n'est pas pour autant éliminée. Bien au contraire. Les défauts de communication du maire d'Aniane vont marquer le début d'une mobilisation hétérogène contre le projet, mais aussi contre les autorités en place. La présentation du projet a donné naissance à des premiers motifs de mobilisation « contre Mondavi ». Les chasseurs y voient une amputation de leur terrain de chasse tandis que les néo-ruraux s'offusquent de l'absence de consultation de la mairie. Mais le plus virulent de tous est sans nul doute Aimé Guibert qui voit dans ce projet l'arrivée d'un nouveau concurrent.

AIMÉ GUIBERT À LA TÊTE DE LA FRONDE : ASTÉRIX LE GAULOIS OU MANDRAKE LE MAGICIEN ?

Aimé Guibert présente de nombreux points communs avec Robert Mondavi. Ils partagent le même amour de la vigne, ils ont des enfants qui souhaitent poursuivre la gestion de l'entreprise familiale, ils ont tous deux vécus une rupture au cours de leur carrière professionnelle, ils produisent des vins d'exception, ils sont enfin de véritables pionniers dans leur domaine… La renommée d'Aniane tient grandement à la légende de son domaine Daumas Gassac, produisant un vin de pays vendu dans le monde entier et considéré comme un des meilleurs vins de la région. Aimé Guibert, installé à Aniane dans les années 70, est un précurseur. L'adoration qu'il voue à sa terre et son rôle de pionnier fondent sa légitimité à revendiquer la défense du terroir d'Aniane. Guibert est une figure locale, un entrepreneur notable [142]. Le souci de préserver sa notoriété peut également être considéré comme un ressort de son opposition. Il craint de voir s'installer à côté de lui un producteur qui lui volerait la vedette. Guibert a besoin de reconnaissance. Dans un article de *La Revue du Vin de France* qui s'intitule « Guibert : personne ne m'aime ! », il réagit vertement contre un article publié par la même revue dans un numéro précédent et dans lequel le journaliste Thierry Dessauve écrivait : « En Languedoc, il y a seulement treize ans, on ne connaissait strictement personne ». Or, répond Guibert, « en 1988, la vallée du Gassac avait déjà une notoriété mondiale, illustrée par les millésimes 1978, 1980, 1982, 1983, 1985, 1986 et 1988. La presse anglaise, Parker, la presse allemande, vous-mêmes, avaient déjà largement reconnu la présence de ce cru languedocien singulier et sensiblement différent de tout autre grand vin français ». Aimé Guibert, que la revue appelle affectueusement « le seigneur de Daumas Gassac », est un entrepreneur qui s'estime avoir été méprisé à ses débuts par l'*establishment* viticole languedocien et se targue d'avoir eu la visite de plus de mille viticulteurs locaux « dont beaucoup se sont ensuite engouffrés dans la brèche que Daumas Gassac venait d'ouvrir dans ce Languedoc synonyme de “région de production de bibine” » [143].

L'opposition d'Aimé Guibert au projet d'implantation des Mondavi a toutes les apparences du panache de Cyrano, « courageux, individualiste, dédaigneux de l'argent ». N'est-il pas le chantre du vin à l'ancienne, soucieux du respect de la nature et attaché à sa terre dont il connaît le moindre arpent ? Il ne faudrait cependant pas oublier que la bouteille Daumas Gassac est vendue près de 50 Euros sur les cartes de vins des meilleurs restaurants de la Côte du Golfe du Lion.

Qui est donc vraiment Aimé Guibert ? Le sympathique héros Astérix qui résiste à l'Empire romain, caricature souvent évoquée par la presse internationale pour qualifier ce farouche opposant aux « vins industriels » ou Mandrake, ce magicien illusionniste des *comics* américains des années 60 aux gestes hypnotiques ?

Car le caractère influent de cette forte personnalité n'a d'égal que le caractère paradoxal de ses actions. Ses sympathies de droite sont connues au sein du village et pourtant il n'hésitera pas à soutenir le candidat communiste lors des élections municipales. Aimé Guibert est aussi un proche de Jacques Blanc, ancien ministre de Valéry Giscard d'Estaing et à l'époque président du Conseil régional. « Cet ancien du très à droite Centre National des Indépendants et des Paysans (CNIP) appartient aujourd'hui à la très à gauche Confédération paysanne » et se dit même proche du combat de « son ami José Bové »[144].

Début avril, il demande à André Ruiz, le maire d'Aniane, de lui céder ou de lui louer les terrains boisés visés par Mondavi afin de doubler le vignoble de Daumas Gassac. Quelques semaines plus tard, il déclare à la presse que « faire de la vigne en détruisant une forêt c'est absurde ! ». Au mois de mai, lorsque le village apprend officiellement la nouvelle du projet Mondavi, il assigne devant le tribunal de grande instance de Montpellier, André Vézinhet, le président du Conseil général et André Ruiz, le maire, pour violation du code forestier et violation du code de l'urbanisme. Selon Aimé Guibert, des travaux de défrichement auraient déjà commencé pour permettre l'implantation de la société Mondavi sur la commune, ce que conteste le maire en place[145]. L'affaire qui est examinée le 25 mai se retourne contre lui. Guibert est condamné pour « procédure abusive » à verser

© Dunod. La photocopie non autorisée est un délit

des indemnités au président et au maire, après avoir constaté que les travaux consistaient en fait en l'entretien de la route traversant le massif pour la prévention des incendies.

Comme Mandrake le magicien, la personnalité complexe d'Aimé Guibert est capable de dédoublement. A-t-il effectivement reçu une proposition d'achat de son domaine par Mondavi ? A-t-il été jusqu'à proposer son domaine à la vente, sans en obtenir un prix suffisant ? Les rumeurs ont été bon train ; le doute subsiste. Écoutons les propos de Guibert lui-même. Dans une interview à *La Revue du Vin de France,* au moment fort de l'opposition contre le projet, le journaliste lui demande si Robert Mondavi lui a proposé de racheter son domaine. « C'est vrai, répond-il, pendant trois années durant, la famille Mondavi a tenté d'acquérir Daumas Gassac. Mais je suis vieux et je connais chaque arpent de ma terre, chaque cep, je ne vendrai jamais ! ». Plus loin, il ajoute : « Mondavi n'a jamais proposé un chiffre en relation avec la rentabilité de mon domaine. Si cela avait été le cas, j'aurais dit à mes fils : voilà la proposition de Mondavi. Je suis contre la vente mais vous pouvez l'étudier » [146].

Autre paradoxe à relever : le mas de Daumas Gassac possède 5 hectares au pied du massif ; simultanément, Aimé Guibert a toujours dénoncé toute installation sur le massif. Selon *L'Humanité* rapportant une analyse d'André Ruiz « l'opposition de la famille Guibert serait mue par une préoccupation exclusive : empêcher que d'autres fassent aujourd'hui ce qu'elle a fait voilà près de trente ans en défrichant la partie de sa propriété située sur le massif de l'Arboussas ». [147]

Il est vrai que l'argumentation des Guibert à l'encontre des Mondavi va connaître des phases changeantes. Dans un premier temps, les Guibert dénoncent le fait que le massif soit attribué à un Américain et non à des vignerons locaux. Son argumentation repose sur le principe de la préférence locale. « Sachant qu'il y a de très beaux terroirs non boisés disponibles sur la commune d'Aniane, vers Puéchabon, pourquoi donner à une multinationale américaine ce qui est refusé depuis vingt-cinq ans aux vignerons locaux qui, eux, ont bâti de toutes pièces la célébrité actuelle des terroirs d'Aniane ! » [148]. À cette étape, il se trouve dans la même logique que la cave coopérative au début des négociations. Mais lorsque la cave change de position, la famille Guibert change également de discours. La défense du massif va reposer désormais sur des intérêts environnementaux. « Un défrichage de l'ampleur prévue par le projet de Mondavi peut modifier le microclimat de la vallée de Gassac caractérisé par la fraîcheur des nuits, inférieure de 8 ou 9 degrés à celle du village d'Aniane. Cette fraîcheur donne des grappes à peau épaisse qui contribuent pour beaucoup à la qualité des vins produits au mas. [Nous craignons] également de voir les traitements chimiques déferler sur le futur vignoble de Mondavi [alors que nous avons] opté pour le fumier de mouton, la présence d'insectes et d'oiseaux, avec la bouillie bordelaise comme unique traitement des vignes » [149] déclare Samuel, l'un des fils d'Aimé Guibert.

L'efficacité de cette défense va se construire autour d'un discours alarmiste, créant volontairement un sentiment de menace et d'insécurité. De nombreuses déclarations publiées dans la presse participent à diaboliser le projet américain. La menace n'est pas une donnée objective. Elle résulte, dans cette affaire, d'un construit délibéré et savamment orchestré. La phrase de Guibert : « Pour moi, le vin de Mondavi, c'est du yaourt » fera le tour du monde et lui vaudra d'être qualifié d'Astérix le Gaulois par les Anglais et Américains. D'autres propos sont tout aussi virulents. « C'est un projet con et méchant. Nous allons vers la destruction du tissu social si l'on laisse s'implanter des groupes financiers comme Mondavi. Nous allons devenir des Latinos, à l'exemple de leurs employés dans les

© Dunod. La photocopie non autorisée est un délit

vignes de Californie »[150], ou bien « C'est du colonialisme grossier et impudent »[151]. Cette construction de la menace a pour but de rendre l'environnement le plus hostile possible à l'égard du projet de l'adversaire. Le plus insupportable pour Aimé Guibert est sans doute de voir s'installer à côté de lui une exploitation qui lui volerait la vedette. Afin de piloter et d'amplifier cet esprit de résistance, la famille Guibert va alors participer à la création d'un comité de défense appuyé par Marcel Pouget, le président de la fédération des chasseurs d'Aniane.

CRÉATION DU COMITÉ DE DÉFENSE DU MASSIF DE L'ARBOUSSAS

L'association de défense du massif de l'Arboussas est créée le 5 mai 2000. La création de cette association se fonde uniquement sur l'opposition au projet Mondavi et va fédérer des chasseurs, des randonneurs, des écologistes, des promeneurs du dimanche, des nouveaux arrivants. Des réunions sont organisées tous les lundi soir.

Marcel Pouget est élu à la présidence de l'association. Il était déjà président de l'association des chasseurs qui existait depuis 20 ans. M. Pouget représente la mentalité des anciens. Il est attaché au respect des traditions du village. Sa famille est basée à Aniane depuis 4 générations. Il est aujourd'hui retraité et ses fils ont repris l'entreprise familiale de métallurgie. La chasse aux sangliers est sa passion. C'est aussi un amoureux de la nature. Son attachement au patrimoine communal est sincère : « J'ai l'esprit de terroir, mais il faut qu'on l'entretienne, qu'on rénove le patrimoine » [152].

En tant que président, les motivations de M. Pouget sont la sauvegarde du patrimoine communal. « Si Mondavi gagne, ce sera la mort des vins d'Aniane »[153] clame-t-il à qui veut l'entendre en sirotant un verre de pastis dans son jardin. « Nous avons de petites propriétés ici. Dans quelques années, Mondavi aura vite fait de tout acheter ».

Conscient du danger, David Pearson rencontre Marcel Pouget à deux reprises, une fois en tant que président de l'association des chasseurs et une autre fois en tant que président de l'association de défense. Mais le dialogue est difficile. « On a essayé de savoir où il allait implanter sa winery. M. Pearson : m'a dit, on ne sait pas encore. Alors là je lui ai dit "excusez- moi M. Pearson mais là vous nous prenez pour des cons. Investir autant d'argent sans savoir où vous allez faire votre cave !" » [154]

Le discours mobilisateur va donc progressivement se construire autour du thème de la défense du massif. L'association devient le rassemblement des amoureux de la nature qui luttent contre une multinationale dans le but de défendre la forêt. Leur premier tract illustre cette stratégie de communication : « Vous aimez la région. Elle est menacée ! La multinationale Mondavi veut détruire 248 hectares de bois communaux à Aniane. Aidez-nous à sauver l'Arboussas ! ». Un autre tract s'adresse « aux promeneurs, randonneurs, vététistes, ramasseurs de champignons, chasseurs et non chasseurs » et appelle à la mobilisation générale « contre ce projet qui va détruire au fil des années notre patrimoine forestier ».

La mobilisation de M. Pouget se limite à un engagement associatif. En tant que président de l'Association de Défense du Massif, il reçoit beaucoup de courrier du monde entier, des lettres de sympathie et d'encouragement, des articles de journaux. Il a tout conservé et c'est avec une certaine fierté qu'il relit ses lettres. Il semble que personne ne lui ait jamais traduit les lettres en provenance de l'étranger. Finalement, le contenu compte moins que l'origine. Aujourd'hui, Marcel Pouget semble encore étonné de l'ampleur mondiale de cette affaire. C'est une marque de reconnaissance qui lui fait chaud au cœur. Pour preuve supplé-

© Dunod. La photocopie non autorisée est un délit

mentaire du retentissement de cette affaire dans le monde viticole, une des questions du concours mondial du meilleur sommelier de 2003 était « Où Mondavi devait-il s'installer ? ».

Marcel Pouget n'est pas seul dans son combat. Parmi les participants à ce comité de défense, on retrouve des noms évoqués précédemment.

Aimé Guibert est présent. C'est l'un des opposants les plus virulents dans cette affaire. Mais sa position est déjà trop exposée et polémique pour qu'il puisse siéger à l'une des fonctions au sein du bureau de l'association. C'est donc sa femme, Véronique Guibert, qui est nommée au poste de secrétaire de l'association. Manuel Diaz, futur candidat communiste aux prochaines élections municipales, fait également partie des fondateurs auxquels on refusera de donner une fonction au sein du bureau de l'association. Il a siégé au conseil municipal d'Aniane pendant plusieurs mandats et ne cesse de critiquer l'actuelle gestion du maire socialiste en place, André Ruiz. Son ambition politique est connue et pourrait donc nuire à l'image apolitique de l'association, que Marcel Pouget défend farouchement.

La trésorerie est confiée à la propriétaire d'un domaine du terroir d'Aniane et la vice-présidence à un notable de la viticulture locale. Mais ces deux personnes vont changer de position au fil de l'affaire, en fonction de leurs propres intérêts. Lorsque le maire Ruiz annonce l'octroi de 25 hectares aux vignerons locaux, la trésorière se retrouve en porte-à-faux. En tant que propriétaire d'un domaine, il est de son intérêt de se porter candidate. Mais ce faisant, elle contrevient à son engagement premier au sein du comité de défense du massif. Elle s'en expliquera franchement avec Marcel Pouget et se retirera de l'association.

La situation est plus complexe dans le cas du notable local, quelque peu « coincé » dans le cumul de ses fonctions. Ce dernier occupe des fonctions à la chambre régionale de l'agriculture, au syndicat des vignerons des terroirs d'Aniane et à la SAFER. En tant que coopérateur individuel, il a tout intérêt à collaborer avec Mondavi, alors que ses fonctions syndicales lui imposent de défendre des intérêts collectifs. En définitive, il quittera le comité de défense.

On retrouve ici un des traits caractéristiques de la viticulture méridionale, ce qu'on nomme « la transversalité » des hommes, tantôt politique, tantôt syndicaliste, tantôt vigneron. « Les casquettes sont souvent nombreuses et parfois réversibles. On ne sait jamais trop à qui on parle. Qui agit et pour quelle cause ? La réponse n'est jamais évidente » [155].

En dépit de ces deux revirements retentissants, le comité de défense va jouer un rôle déterminant dans la structuration et l'organisation de la contestation. De nombreuses adhésions vont venir renforcer le poids de l'opposition. Cette association, en grande partie soutenue par les chasseurs mais composée aussi de gens d'origine et d'opinion diverses, va s'opposer au nom du respect des traditions et du patrimoine communal.

Une autre association « Vivre à Aniane », qui fédère quant à elle un grand nombre de néo-ruraux, va élargir le mouvement contestataire par un autre discours mobilisateur : celui de la résistance à la mondialisation au nom du respect de leur paysage et de leur tranquillité. Ils vont former un vivier de voix pour Manuel Diaz, candidat communiste aux municipales.

« VIVRE À ANIANE » OU COMMENT LES NÉO-RURAUX SE MÊLENT À LA PARTIE

Les « néo-ruraux » regroupent l'ensemble des nouveaux arrivants sur le territoire d'Aniane. Ils ont élu ce territoire comme lieu de vie. Ils ne sont pas nés au village, mais éprouvent un fort senti-

© Dunod. La photocopie non autorisée est un délit

ment d'appartenance. Ils sont anianais parce qu'ils l'ont choisi. Les néo-ruraux pèsent donc plusieurs centaines d'âmes et pratiquement autant de voix qui compteront lors des élections.

C'est la raison pour laquelle Manuel Diaz, chasseur et futur candidat, tient un discours avenant à leur égard. Il considère que les nouveaux arrivants apportent de nouvelles cultures et trouve cet échange intéressant, même s'il leur reproche parfois de ne pas aller suffisamment vers les traditions locales. L'accueil des anciens à l'égard des nouveaux arrivants est généralement assez réservé. Marcel Pouget, fortement ancré au village depuis plusieurs générations, les considère un peu comme « une faune. Ils ont les cheveux longs, sont babas cool. Ils ont fait des études, ils s'expriment bien, manifestent »[156].

Citoyenneté, solidarité internationale, protection de l'environnement sont les leitmotivs des membres de l'association. En tant que nouveaux arrivants, ils défendent le village et le paysage dans lequel ils ont choisi de s'installer. L'association « Vivre à Aniane » représente un capital culturel et social. Les membres qui la composent sont chercheurs, professeurs, ingénieurs, instituteurs... Ce collectif ne prend pas immédiatement une position ferme contre le projet Mondavi. Les avis seront pesés et analysés.

Mais le manque de transparence du projet, le manque de débat et d'informations résultant de la politique de communication élitiste de l'équipe municipale en place induit un malaise dans l'esprit des nouveaux venus. C'est pour cette raison que l'association décide de combler un vide : amener au village de l'information sur les enjeux du projet.

Le déficit de participation démocratique est fortement ressenti. L'association juge insupportable la manière dont a été dévoilé le projet. L'attachement à Aniane est un choix. Le fait de ne pas avoir été consulté par le maire est pour eux un acte politique antidémocratique vécu comme une imposition. Ils reprochent au maire Ruiz d'avoir informé prioritairement les viticulteurs et les chasseurs. Ce choix en faveur du camp des anciens était-il délibéré ou inconscient ? Nul ne le sait. Mais le malaise est installé et le ressentiment ne fera que croître. La mobilisation associative est un moyen d'intégration pour les habitants nouvellement installés ou qui ne sont pas nés au village. En s'opposant au projet Mondavi, ils vont montrer qu'ils s'intéressent à leur pays. En somme, le rejet du projet va devenir un gage de bonne conduite adressé aux anciens pour montrer leur bonne intégration locale. Plus royalistes que le roi, un certain nombre d'entre eux vont même devenir les plus farouches opposants. Selon un anonyme lotisseur privé, cette attitude est typique du mode d'appropriation des lieux des « néo-ruraux » : « Ils arrivent, ils s'implantent, cherchent une maison et une fois installés à la campagne, une fois qu'ils ont réussi à obtenir la campagne, ils ne veulent plus être dérangés »[157].

Selon les données de l'INSEE, il y avait 1 617 habitants à Aniane en 1982. En 1999, la population s'élève à 2 098 habitants et à 2 300 en 2003. Le village est donc en pleine mutation démographique et l'accroissement des installations de nouveaux arrivants contribue fortement à ces évolutions. La population d'Aniane s'est rajeunie et le taux de mortalité a fortement chuté. Les « néo-ruraux » prennent du poids au sein du village. Du même coup, l'électorat se transforme aussi. En se mettant en conflit avec eux, le maire socialiste André Ruiz se coupe d'une partie de l'électorat de son village.

Ce dernier ne rapporte rien à la commune. Mais le massif n'est pas une terre vierge sans valeur. Il est au centre d'une multitude de représentations : véritable fief pour Aimé Guibert, le massif est aussi un formidable terroir pour les vignerons, un lieu de

© Dunod. La photocopie non autorisée est un délit

résidence pour les néo-ruraux, un terrain de traque pour les chasseurs, une terre ancestrale pour les natifs du village et enfin un lieu de promenade pour les randonneurs du dimanche. Mais au-delà de l'extrême diversité des représentations, cet espace est *communal. Il appartient donc à tout le monde.* Personne ne se privera donc de donner son avis sur la question.

Comme le disait jadis Tocqueville, l'un des tout premiers à avoir théorisé les différences entre Français et Américains, « tel qui laisse volontiers le gouvernement de toute la nation dans la main d'un maître, regimbe à l'idée de n'avoir pas à dire son mot dans l'administration de son village ». Jamais sa formule n'aura trouvé si belle application. Chacun voulant convaincre son voisin, la discorde se propage au sein du village. Il y a les pro-Mondavi et les anti-Américains, les pro-"chasse, pêche et tradition" et les anti-Guibert, les pro-Vézinhet et les anti-Ruiz, les pro-Diaz et les anticommunistes, les pro-Frêche et les altermondialistes et même les anti-Mondavi qui se transforment en pro-Mondavi au gré de leurs propres intérêts... Certains changent même d'avis toutes les semaines au fil des rencontres et des discussions. Le curé de la paroisse ne sait plus à quel saint se vouer. Au moment où se rapprochent les échéances électorales, tout le village est en ébullition.

6

LA POLITISATION DE L'AFFAIRE

LE COMBAT DES CHEFS

LES ÉLECTIONS S'ANNONCENT

Alors que le projet Mondavi est validé par le conseil municipal, les échéances électorales se rapprochent. On va bientôt voter pour les municipales et les cantonales. Les candidats ne tardent pas à se déclarer. Le projet Mondavi va devenir l'enjeu principal de la campagne municipale. Le programme électoral des candidats à la mairie d'Aniane se limite à l'accord ou au refus du projet Mondavi sur les terres d'Aniane. Les Anianais vont pouvoir s'exprimer.

Pour mieux comprendre le duel qui oppose les deux candidats principaux, André Ruiz qui soutient le projet et son farouche détracteur Manuel Diaz, il est utile de rappeler la chronologie des élections municipales à Aniane.

De 1936 à 1983, la mairie est dirigée par le communiste Étienne Sagnier. Manuel Diaz, communiste également, sera élu au conseil municipal en 1977.

De 1983 à 1989, c'est le socialo-communiste Marcel Cournand qui est élu maire avec Manuel Diaz comme premier adjoint et André Ruiz comme simple membre du conseil municipal.

En 1989, Ruiz et Diaz s'affrontent pour la première fois. C'est Ruiz qui gagnera les élections. Il sera réélu en 1995, toujours face au même Diaz qui devient désormais son adversaire juré.

Pendant ces deux mandats, Diaz, deux fois battu, ne siège pas au conseil municipal.

C'est donc dans ce contexte particulier et cette lutte fratricide entre deux leaders de gauche que s'annoncent les élections municipales et cantonales de 2001.

ANDRÉ RUIZ, CHRONIQUE D'UNE DÉFAITE ANNONCÉE

André Ruiz est maire d'Aniane et conseiller général socialiste depuis 1989. C'est en intégrant l'équipe socialo-communiste de Marcel Cournand qu'il réussit à s'imposer en 1989. Il est anianais d'origine, mais n'habite plus à Aniane. Il est l'ancien président de l'office des HLM et détient le portefeuille social au Conseil général. L'image d'André Ruiz va se ternir tout au long de ses mandats en raison de pratiques jugées clientélistes et des procédures de mise en examen qui ne laissent pas les habitants indifférents. La mauvaise communication sur le projet n'a fait qu'aggraver le rejet du maire par les habitants.

Cette tendance clientéliste est par exemple visible dans la façon dont le maire a préféré s'entretenir prioritairement avec les viticulteurs et les chasseurs du fait de l'influence que ces groupes exercent au sein du village. Mais c'est une série d'affaires judiciaires qui va le plus durement ternir l'image du premier magistrat de la commune. En 1994, un an avant les élections municipales et cantonales, alors qu'il occupe la fonction de président de l'office des HLM, la population apprend qu'il est mis en examen. Il écrit une lettre aux Anianais en disant que tout le Conseil municipal le soutient dans cette affaire. En dépit de cette mise en examen, il est réélu en 1995 maire d'Aniane et conseiller général. Mais quelques mois avant les élections de 2001, une autre affaire surgit, celle de « la clinique Causse » à Béziers. À cette époque, il était chargé de donner les autorisations d'ouverture de cliniques au sein du Conseil général. La population a de plus en plus de doutes, le rejet du maire semble irréversible.

Lorsque la mobilisation de l'association de défense du massif de l'Arboussas est à son apogée (pancartes, slogans, manifestations, échos dans la presse), le maire se trouve donc gêné. Certains relèvent même un silence inattendu de sa part face à la mobilisation des « contre ». Les contentieux judiciaires le freinent dans son soutien actif au projet. Dans les nombreux articles relatant l'affaire Mondavi dans la presse, Ruiz n'apparaît que rarement tandis que son opposant Diaz est omniprésent. Le soutien politique du maire au groupe Mondavi devient contre-productif.

Il est probable qu'avant même l'arrivée de Mondavi, les habitants ne voulaient plus de leur maire. En votant pour le candidat qui s'oppose au projet, ils votent contre le maire sortant. Il y a là une immense opportunité à saisir pour l'opposition que Manuel Diaz va mettre à profit. Le « projet » Mondavi devient « l'affaire » Mondavi.

MANUEL DIAZ, LE GLAIVE

Ruiz est devenu indésirable et il soutient le projet Mondavi. En vieux briscard de la politique, Diaz s'engouffre dans la brèche et va mener de front deux combats, l'un contre l'ancienne municipalité, l'autre contre le nouveau projet. Militant communiste et membre de l'association de défense du massif, il devient le candidat idéal de l'opposition.

Manuel Diaz est né au Brésil en 1936, il est issu d'une famille d'immigrés espagnols qui avait fui la guerre d'Espagne. La famille Diaz s'installe en France, à Aniane, en 1939. Manuel Diaz à donc trois ans lorsqu'il arrive au village. Il se considère comme un « enfant du pays ». Tous ses souvenirs d'enfance y

© Dunod. La photocopie non autorisée est un délit

sont enracinés. Il arrête l'école à 14 ans après l'obtention du certificat d'études. Sa famille, composée d'agriculteurs peu instruits, juge qu'il en sait assez. Il faut désormais qu'il rentre dans le monde du travail. Sa passion pour le sport, et plus particulièrement un certain talent pour le foot, lui offre un parcours atypique dans la fonction publique. Il devient attaché au sport à l'ASPTT à mi-temps avec la fonction de technicien à France Télécom. « Vous voyez quand même, avec un certificat d'études, je suis rentré aux PTT en passant un concours de rien du tout ». Puis à 28 ans, il retourne sur les bancs de l'école pour passer le concours de conducteur de travaux, ce qui représente une promotion importante pour lui. « J'ai fait mon petit chemin à France Télécom et voilà j'ai fini comme ça ». Il ne connaît durant sa carrière qu'une seule mutation pendant 5 ans à Anemas en Haute-Savoie. Le reste de sa vie, il a travaillé à Montpellier tout en habitant à Aniane. En 1986, juste avant sa retraite, il est victime d'un très grave accident en tombant d'un cerisier et se retrouve tétraplégique. « 4 mois de soins intensifs, 11 mois de rééducation ». Il évoque cet épisode douloureux avec émotion. Ce fut une épreuve terrible mais aussi un combat qui le conduira jusqu'à la victoire sur « une défaillance physique énorme ». Cette lutte pour la vie le prédisposera à mener des combats politiques comme s'ils étaient des combats personnels.

Parallèlement à sa vie professionnelle, Diaz mène aussi une carrière de militant. « Bon, le travail d'abord, mais aussi le Parti, m'ont permis de m'épanouir ». En 1977, il rentre au Conseil municipal d'Aniane, sous le mandat d'Étienne Sagnier, communiste. C'est sa première représentation politique. Cette expérience constitue pour lui une des raisons de son adhésion au parti communiste. Il a fait l'école du parti, l'école « du capital de Marx ». Il estime y avoir reçu une éducation politique. « C'était très bien, c'était pas tourné vers le parti, c'était surtout "ouvrez les yeux, la vie c'est ça, les partis politiques c'est ça". » Il insiste sur la période 1977-1983 qui marque le début de sa trajectoire politique et très peu sur la période 1983-1989 où il fut le premier adjoint du maire Marcel Cournand. « 1977-1983 fut une étape politique très importante pour moi ». Étienne Sagnier le charge d'écrire quelques articles pour le journal de cellule du parti « sur le sport, des petits trucs comme ça ». Il deviendra par la suite le responsable du journal de cellule.

Dans cette affaire, Manuel Diaz est l'acteur le plus souvent interrogé par la presse. Mais ces abondantes déclarations ne commencent véritablement qu'à partir d'août 2000, c'est-à-dire au moment de la pré-rentrée politique qui annonce les futures élections municipales et cantonales de mars 2001. C'est cette actualité électorale qui va faire de Diaz un acteur central dans l'affaire Mondavi.

LE POT AUX ROSES

Manuel Diaz n'est pas un membre ordinaire de l'Association de Défense du Massif de l'Arboussas. Marcel Pouget, le président de l'association, ne voit pas toujours d'un bon œil les interférences politiques de Diaz au sein du groupe. Son acharnement à dénoncer l'impérialisme américain est jugé « excessif » par le président. « En parade, sa campagne portait sur la défense du massif, mais c'était quand même plus dirigé contre les Américains », déclare Pouget[158].

Néanmoins, Diaz refuse de dissocier l'activité associative de ses objectifs politiques. Son discours est constant au sein de l'association comme pendant sa campagne ; pour Diaz c'est une preuve de fidélité à ses convictions. « J'avais le même discours en tant que membre de l'association et en tant que candidat aux élections, moi je ne cache pas mes convictions. Au contraire,

© Dunod. La photocopie non autorisée est un délit

mon discours communiste est passé quand j'ai dénoncé cette supercherie, cette multinationale ».[159]

Son discours de campagne ne se limite pas à la seule défense du massif. Il s'attaque aux pratiques des multinationales. « Je n'ai rien contre les États-Unis, ni contre le peuple américain. Par contre, je lutte contre les pratiques des multinationales. Qu'elles soient étrangères ou françaises, pour moi, c'est pareil. Les multinationales, nous en avons des exemples concrets en France en ce moment, puisque nous avons des conflits avec Danone. Il y a deux ans, c'était Michelin, Marks & Spencer, des sociétés qui font des bénéfices, qui ont des carnets de commandes pleins, qui ont reçu de l'argent public, des aides publiques pour encourager l'emploi, et qui aujourd'hui, malgré ces aides, malgré ces carnets pleins, malgré les bénéfices, licencient du personnel et se restructurent. » [160] Les propos de Diaz ressemblent à s'y méprendre à ceux de Maffre-Baugé dans *Mon Païs Escorjat.* La multinationale californienne est la cible idéale pour incarner l'« ennemi inconnu qui aménage et déménage » et qu'il convient de combattre.

Cette multinationale, Manuel Diaz va passer des jours à la scruter, l'analyser pour en déjouer les ressorts les plus nocifs. « Je me suis opposé à l'implantation de ce milliardaire américain car une multinationale telle que Mondavi n'apporte pas de richesses là où elle vient s'implanter. En tant que membre du parti communiste, je suis contre ce capitalisme sauvage et ce libéralisme. Le projet portait sur 55 millions de francs dont 35 millions de francs consacrés aux chais. Pour rentabiliser cet investissement, il aurait dû acheter du raisin ce qui annonçait à moyen ou long terme la fermeture de la coopérative locale. La stratégie menée par ces grands groupes est d'éliminer les petits pour ensuite imposer leur prix. » [161]

Il épluche un à un tous les articles de la convention d'occupation des sols et découvre dans la convention signée par la municipalité et le groupe Mondavi une ambiguïté qui, selon lui, cache un terrible stratagème dont usent et abusent les multinationales. L'accord, en effet, n'est pas signé avec Mondavi mais avec Vichon, sa filiale française. Cette distinction est essentielle car, selon Diaz, Vichon va pouvoir fonctionner comme une société écran. Dans la convention, Mondavi s'engageait à verser un loyer égal à 1 % du chiffre d'affaires de la société Vichon. Cette redevance était fixée au minimum à 5 000 Euros par an. Par ce système, la filiale Vichon n'avait pas intérêt à faire un important chiffre d'affaires. Son intérêt était même de ne jamais dépasser le seuil minimum fixé par la convention. Pour Diaz, Vichon n'est donc qu'une société écran dont la stratégie rationnelle est de minimiser ses revenus. 50 hectares à 5 000 Euros par an sans aucune autre garantie, c'est un cadeau monumental. « Je me suis amusé dans un tract à dire que c'était le prix d'un feu d'artifice. » [162]

L'enjeu pour Manuel Diaz n'est plus seulement de contrer l'installation de Mondavi mais de dénoncer ce subterfuge, symptomatique de la gestion classique des multinationales. Si Vichon n'est qu'une société écran, cela signifie que Mondavi peut maîtriser le chiffre d'affaires de Vichon sur lequel sont assis la redevance des terrains communaux et les impôts. Vichon vendra le vin à bon prix à Mondavi qui le revendra beaucoup plus cher. « J'ai découvert le pot aux roses. Avec Vichon, ça passait comme ça inaperçu ! Moi je me suis rendu compte que c'était la société écran de Mondavi, société qui avait été créée uniquement pour le projet sur Aniane. On sait que ces multinationales pour progresser ont toutes des sociétés écran ». [163]

Cet argument est décisif. S'attaquer à la multinationale revient à défendre non seulement le territoire mais aussi les plus faibles.

© Dunod. La photocopie non autorisée est un délit

« Aniane est un territoire de petits viticulteurs travaillant sur de petites parcelles. Ils ont le terroir, le savoir-faire. Il ne leur manque qu'une politique commerciale ambitieuse. Mondavi aurait été un concurrent au pouvoir économique illimité. L'accepter, c'était mourir peu à peu. Ses offres de collaboration ne sont qu'un leurre » [164].

Diaz semble même dépassé par sa capacité mobilisatrice. C'est avec un certain étonnement qu'il raconte que des gens de droite, membres de l'association, ont distribué *L'Humanité* au village. « Ça fait drôle quand même, mais c'est la preuve qu'on était tous unis derrière un même objectif » [165].

Malgré les circonstances, à la veille du premier tour de scrutin, Ruiz est donné favori par *Le Midi Libre*, principal organe de la presse locale. Ce jour-là dans les pages régionales, on pouvait lire le titre : « Aniane, un grand chelem pour Ruiz » [166].

Le 11 mars 2001 se joue le premier tour des élections municipales. Quatre listes sont en présence. En plus des listes d'André Ruiz, le maire sortant, et de Diaz, son principal opposant, on compte aussi celle de M. Bonnafous pour la droite et celle de M. Magne. Le projet Mondavi n'est pas un axe principal de campagne pour ces deux dernières listes. L'existence de ces deux listes peut paraître anecdotique, nous verrons par la suite que ce fait n'est pas dépourvu d'importance.

Au premier tour, c'est un coup de tonnerre qui s'abat sur Aniane ou plus exactement sur la tête du maire. Manuel Diaz, le candidat communiste, arrive en tête avec 30 voix d'avance. Ruiz n'est que second avec 428 voix. Désaveu suprême, il fait jeu égal avec la liste Magne qui réalise le même score. Ruiz comprend très vite que ses chances de réélection à la mairie sont nulles. Il joue son va-tout par un marchandage dont les politiques ont le secret. Arrivé en tête à l'autre scrutin, celui des cantonales, avec 40 voix de plus que Diaz, le maire sortant tente une manœuvre politique pour sauver son siège de conseiller général. Il fait savoir par la presse [167] qu'il se retirera du second tour des municipales si Diaz le soutient pour les cantonales, autrement dit si ce dernier se retire du second tour des cantonales.

Le challenger est conscient que les résultats d'Aniane provoquent la surprise générale. D'autant plus qu'à ces mêmes élections, de nombreux bastions communistes sont perdus dans la région (Béziers, Nîmes, Sète...). Il sait aussi que sa victoire aux municipales ne dépend pas du retrait de Ruiz. Assuré d'une victoire à Aniane, il décide de se maintenir dans le canton en assumant toutes les conséquences de sa décision. L'un des risques est de faire élire Galibert, le candidat de la droite, en divisant la gauche dans une triangulaire. Il subit alors des pressions politiques. Le Conseil général tente de le raisonner. Même le parti communiste ne comprend pas sa décision. Pour le Parti, la victoire probable de Diaz est déjà un succès. L'objectif est de minimiser les risques dans un contexte où le Parti est en situation difficile dans de nombreux cantons. Aux pressions, Diaz rétorque qu'avant les élections, il était d'accord pour qu'un socialiste soit tête de liste à condition que ce ne soit pas Ruiz. « Faute d'accord, nous partons seuls de notre côté. » [168]

Le dimanche suivant, lors du second tour, les résultats sont à peine croyables tant pour les commentateurs que pour le vainqueur. Manuel Diaz est élu maire d'Aniane avec plus de deux cents voix d'écart sur son rival. Résultat prévisible compte tenu des scores du premier tour. Pour les cantonales, en revanche, Diaz était beaucoup plus inquiet. Le score est sans appel. André Ruiz n'obtient que 1 028 voix, Galibert à peine 1 174 et Manuel Diaz caracole en tête avec 1 787 voix. Ce n'est plus une victoire, c'est un plébiscite. Contrairement aux pronostics du *Midi Libre* quelques jours plus tôt, c'est Diaz qui réalise le grand chelem politique.

© Dunod. La photocopie non autorisée est un délit

DIAZ, MAIRE D'ANIANE : *VAE VICTIS*

Lorsque Brennus, le chef gaulois, assiégeait Rome, l'histoire raconte qu'au moment où les Romains payaient leur liberté en versant de l'or sur une balance, Brennus jeta son glaive pour alourdir le plateau au cri de *vae victis*, « malheur aux vaincus ». À la manière de Brennus, Diaz victorieux sera intraitable avec les Californiens. Dès son arrivée à la mairie d'Aniane, il envoie une lettre à la préfecture demandant la suspension de la délibération de l'ancien conseil municipal qui avait accepté la convention. L'autorisation de défriche de la DDAF (Direction Départementale de l'Agriculture et de la Forêt) se trouve aussi suspendue. Le projet Mondavi est remis en question alors que les premiers travaux de défrichement sont prévus pour le mois suivant. Au lendemain des élections, le groupe Mondavi prend directement contact avec la nouvelle municipalité afin d'apprécier la situation. Ils téléphonent à Manuel Diaz pour le féliciter de sa double victoire politique et lui demandent un entretien. « David Pearson et le fils de Mondavi m'appellent pour me féliciter et demandent à me rencontrer. J'ai dit pas de problèmes mais il faudra me faire d'autres propositions que celles de la convention parce que c'est irrecevable. Moi Vichon connais pas et pas d'installation sur le massif, mais rien n'empêche qu'on ait une entrevue, cela ne me dérange pas ». [169]

L'entretien téléphonique avec Diaz donne au groupe Mondavi un aperçu des difficultés qu'il va désormais rencontrer avec le nouveau maire. Celui-ci dispose désormais de tous les pouvoirs pour contrer l'installation. Il leur rappelle qu'il s'oppose à la société écran ainsi qu'à la défriche des terres communales. Cela implique la remise en cause totale du projet Mondavi. Un rendez-vous est fixé mais le groupe américain comprend que ce n'est qu'une parade. Les dés sont jetés. Le jeu est terminé.

MONDAVI RENONCE AU PROJET

Écœuré, David Pearson diffuse deux jours plus tard un communiqué de presse qui annonce le retrait définitif du projet d'implantation de la société Mondavi dans le Languedoc : « La société Robert Mondavi a le regret d'annoncer aujourd'hui sa décision de retirer sa proposition de participation au projet de création d'un vignoble d'exception avec la municipalité d'Aniane en Languedoc. Même si nous continuons de croire à la grande valeur et intégrité de la proposition que nous avons faite, nous sommes également profondément convaincus que le succès d'activités professionnelles biculturelles repose sur une excellente relation de partenariat et d'intégration avec les membres de la communauté locale. Le défaut de soutien du nouveau Maire et Conseil Municipal récemment élus à Aniane, au projet, ainsi que les barrières administratives, légales et politiques qui sont engendrées par ce changement politique local, nous empêchent d'établir un partenariat solide et constituent une incertitude et des risques trop importants sur la faisabilité du projet à long terme. Nos quatre années d'expérience dans cette région nous ont convaincus que le Languedoc est l'une des régions viticoles les plus intéressantes au monde, et en particulier les terroirs de la commune d'Aniane. Nous sommes donc particulièrement déçus de ne pas avoir la possibilité de travailler avec les vignerons d'Aniane qui nous ont apporté leur soutien et leur amitié tout au long de ce processus ».

La presse va abondamment commenter cette décision dans des styles différents. À la neutralité des titres du *Monde* et de *La Tribune*, « le viticulteur américain renonce à s'installer à Aniane », on peut opposer le titre plus partisan de *L'Humanité* « le "petit" Aniane dit non au "grand" Mondavi ». *Le Point* choisit le ton de l'humour avec « Mondavi bloqué par des sangliers ».

© Dunod. La photocopie non autorisée est un délit

Quant à l'*AFP World News*, elle titre : « un maire communiste force le géant du vin américain Mondavi à quitter le Languedoc » [170].

Pour Manuel Diaz, ce retournement de situation résulte de sa perspicacité et de son action : « ils ont compris que j'avais compris ». Mais ce que Diaz n'a, semble-t-il, pas compris, c'est que dans la culture américaine le non respect d'un contrat équivaut à un *casus belli.* En rompant la convention signée par son prédécesseur, Diaz ne fait, à ses yeux, qu'exprimer un refus citoyen, légitimé par le vote du peuple souverain. On trouve ici un des traits culturels qui distingue nettement la France des États-Unis : « En France, la conception contractuelle des rapports de travail ne s'est jamais vraiment imposée, contrairement aux pays anglo-saxons. La France a dû composer, dès l'époque révolutionnaire, avec la vigueur de traditions corporatistes qui regardaient les privilèges du métier comme le vrai symbole de la liberté » [171]. Tandis que « pour l'Américain, la Loi fonde le contrat. Dans la mesure où il n'a nullement la fibre rebelle, il se considère engagé par l'obligation édictée par la Loi, y compris à son encontre. Le Français, auquel la relation de sujétion est insupportable, est irréductiblement opposé à l'application de la Loi à son encontre ou à l'encontre de son groupe d'appartenance. Aussi, aux États-Unis, les lois sont-elles faites pour être appliquées, ce qui surprend toujours les Français... En France, la Loi n'est qu'une gesticulation tout au plus bonne pour les autres » [172].

À ce moment-là, les Américains prennent conscience qu'il devient impossible de s'entendre. Trop d'incompréhensions sont venues assombrir le projet. « Il y a trop d'intérêts personnels et politiques en jeu qui nous dépassent », affirme David Pearson. Ce dernier déclare également que le groupe n'utilisera aucune tactique juridique pour faire accepter son projet. En particulier, il n'entamera pas de poursuites judiciaires à l'encontre de la nouvelle municipalité pour rupture du contrat, ce qui aurait été l'issue normale en Amérique du Nord. Trois mois plus tard, les Mondavi soldent définitivement leurs opérations en Languedoc, en revendant la marque *Vichon Mediterranean* au groupe coopératif « Les vignerons du sieur d'Arques », basé à Limoux, dans l'Aude, pour la somme de 18 millions de francs. Ce groupe était le principal fournisseur de la marque Vichon. Ce rachat est, pour ce groupe, l'occasion d'entrer en affaires avec deux grands réseaux d'importation : Shaw Ross aux États-Unis et Mercian au Japon [173]. Malheureusement, l'avantage sera de courte durée car, quelques mois après leur rachat, un changement d'actionnaire au sein de la maison-mère du distributeur américain Shaw Ross met un terme au contrat de distribution avec la société française. À cela s'ajoute la vague anti-française qui déferle aux États-Unis suite à la prise de position de la France dans le conflit irakien. Les ventes de *Vichon Mediterranean* vont rapidement s'effondrer [174].

Pour Manuel Diaz, cette revente vient conforter sa conviction. Vichon était bien une société écran, destinée uniquement à permettre la mise en place du projet Mondavi. Le projet devenu irréalisable, la filiale française est revendue.

Selon le groupe Mondavi, la vente de Vichon et la décision de renoncer à installer un domaine en Languedoc relèvent de la pure coïncidence. Il paraît cependant difficile de croire que cette séparation soit sans rapport avec la douloureuse affaire d'Aniane. Mais la revente s'explique aussi par des motifs strictement stratégiques. Nous avons vu précédemment que Vichon était une marque atypique dans le portefeuille du groupe Mondavi, une marque que les spécialistes qualifient de « dilemme ». Dans ces conditions, l'alternative stratégique était simple : soit le groupe

© Dunod. La photocopie non autorisée est un délit

avait la possibilité de réaliser les investissements nécessaires pour transformer ce produit dilemme en produit vedette en accroissant sa part de marché relative, soit il se désengageait en revendant son produit à un concurrent mieux positionné. Le projet d'investissement ayant capoté, c'est tout naturellement que le groupe Mondavi optera pour la seconde solution.

Les Mondavi sont partis suffisamment tôt pour ne pas lire le tout dernier slogan de la campagne de communication de Montpellier : « Et vous qu'allez vous inventer pour rester à Montpellier ? ». Campagne « originale et placée sur le terrain de l'humour » déclare l'ancien maire de Montpellier et nouveau président de région, Georges Frêche, « nombreux sont ceux qui nous ont félicités » [175]. On n'a pas de mal à imaginer ce qu'en penseraient les Mondavi !

7

L'APRÈS MONDAVI : GÉRARD DEPARDIEU ARRIVE AU VILLAGE

OBÉLIX ET COMPAGNIE

UNE VICTOIRE À LA PYRRHUS OU COMMENT SE TUER À RÉUSSIR

Manuel Diaz, nouveau maire d'Aniane et conseiller général, va devoir subir le contrecoup de sa victoire. Il va tout d'abord être sanctionné par André Vézinhet, le président du Conseil général. Ce dernier a publiquement soutenu le projet Mondavi. La réussite du projet aurait été son succès politique. Le nom de Mondavi aurait été associé à l'expansion économique de la viticulture héraultaise.

Aujourd'hui encore, lorsqu'on lui parle de Diaz, Vézinhet devient fou de rage. « Je ne peux pas concevoir qu'on abandonne un projet qui a mobilisé l'ensemble du milieu de la viticulture locale. Le condamner, c'est condamner une opportunité qui ne se présentera pas deux fois. » [176] Il ne cache pas sa déception et jusqu'à ce que Mondavi ne revende sa filiale française, il espère encore que le projet pourra voir le jour dans une commune du département. « C'est un gâchis, j'espère que le projet Mondavi né dans l'Hérault trouvera vie dans le département, dans une commune qui ne fondera pas sa décision sur des raisons bassement politiques. » [177] « J'ai reçu de très nombreux appels téléphoniques de personnes me confiant leurs regrets de voir fermer le dossier. C'est comme ça qu'on a manqué certains rendez-vous de l'Histoire dans ce département. Nous venons de perdre une très belle occasion de mieux faire connaître nos vins. » [178] Il déclarera maintes fois à la presse que Diaz est un « irresponsable » qui laisse passer le train de l'espoir, de la modernité et de l'emploi.

Ces déclarations déclencheront une polémique entre le président et le comité de défense du massif de l'Arboussas. Ce dernier lui adresse une lettre ouverte rappelant que « la population dans sa majorité refuse le diktat des élus qui imposent, sans concertation avec leurs électeurs, l'installation d'une multinationale sur des terres communales, qui sont propriété de la collectivité ». En substance, cette lettre insiste sur l'importance de la démocratie directe et sur le fait que le suffrage universel est souverain et conclut : « Vous estimez que la décision de M. Diaz est "irresponsable". Ceci est votre opinion. Mais M. Diaz a été suivi par son conseil municipal où les opinions politiques sont très diversifiées. Et dans ce cas-là, vous devez estimer que l'élection irréfutable de M. Diaz est le fait d'une opinion majoritaire irresponsable. C'est à se demander qui a une attitude que l'ont peut qualifier d'irresponsable ? Un maire qui tient compte de l'opinion majoritaire de ses électeurs ou un président de Conseil général qui soutient un projet envers et contre tous ? ».

À la première séance du Conseil général nouvellement formé, le président adresse des piques verbales à Manuel Diaz. Depuis, ce dernier subit un boycott du Conseil général pour l'obtention d'aides pour la commune. « Il a dit devant tout le monde que le maire d'Aniane avait intérêt à réussir son mandat et que ce ne serait pas évident. C'était des menaces. Il ne nous fait pas de cadeaux » [179].

Au lendemain des élections, le département met en vente deux de ses propriétés sur la commune d'Aniane obligeant ainsi un centre d'éducation populaire et l'Observatoire d'Aniane à partir. La mairie se porte acquéreur. Elle demande une révision des prix ou un paiement différé pour avoir le temps de chercher des partenaires. Mais le Conseil général refuse ces conditions. Diaz paye le prix fort de sa mobilisation contre Mondavi.

La SAFER, de son côté, se trouve bloquée par la détermination de Diaz. Elle est en possession des 25 hectares de terres privées qu'elle avait « préemptés » au moment du projet Mondavi. Lorsque le groupe annonce son retrait définitif, la SAFER se prononce sur l'attribution des terrains. Elle choisit un viticulteur de Puéchabon pour la vente de 8 hectares sur le massif de l'Arboussas. Manuel Diaz use de son droit de préemption communal. La SAFER ne peut plus vendre ces terrains. Le bénéficiaire n'est pas non plus dans la possibilité de les exploiter. Par cette décision Diaz montre qu'il refuse toute installation au massif. Il doit, pour maintenir sa crédibilité vis-à-vis des électeurs, rester en accord avec ses convictions. « Nous avons appliqué notre droit de préemption, dans la même logique que nous avons appliquée à Mondavi : protection des espaces sensibles, d'autant que d'autres vignes sont disponibles. Tant que je serai là, l'Arboussas sera préservé. Je ne reviendrai jamais sur mes engagements » [180].

La cave coopérative est aujourd'hui en difficulté pour dégager une stratégie d'expansion et combler ses carences qualitatives par rapport aux autres caves du département. Les viticulteurs les plus entreprenants partent pour créer leur cave particulière et la commercialisation du vin demeure sa préoccupation principale.

Finalement, personne ne semble vraiment satisfait. Le *win-win-win* californien se serait-il transformé en un jeu perdant-perdant ?

© Dunod. La photocopie non autorisée est un délit

GÉRARD DEPARDIEU ENTRE EN SCÈNE

Ironie de l'histoire, un an après le retrait de Mondavi, on apprend que l'acteur Gérard Depardieu est à la recherche de 40 hectares de vignobles et qu'il serait intéressé par les terroirs d'Aniane. Il est associé au PDG de la maison William Pitters, Bernard Magrez, un négociant bordelais. C'est la réputation des vins d'Aniane mis en relief par le projet Mondavi, surtout ceux du mas Daumas Gassac et de la Grange aux Pères, qui conduisent l'acteur à s'intéresser à Aniane. Bernard Magrez dissimule à peine son intérêt pour le massif de l'Arboussas. « Nous ne sommes pas accrochés à l'Arboussas. Il n'y a pas que là que nous pouvons avoir de bonnes vignes. Toutefois si le maire nous fait une proposition, nous l'étudierons avec intérêt. » [181]

Mais Manuel Diaz s'est trop battu pour protéger l'Arboussas des ambitions californiennes pour envisager sereinement l'implantation de l'acteur sur le massif. « Je ne reviendrai pas sur mes engagements », explique l'élu. « Le massif de l'Arboussas n'est toujours pas à vendre. Mais contrairement au projet américain, celui de Messieurs Depardieu et Magrez n'est pas pharaonique. Il reste à une échelle humaine et ne va pas changer la vie des Anianais. On va maintenant les aider à trouver les terrains et à monter leur cave. » [182]

L'affaire Mondavi est toujours dans les esprits. Lors d'une interview, un journaliste interroge Gérard Depardieu sur ses intentions et lui demande si le fait d'arriver après l'échec Mondavi ne l'inquiète pas. L'acteur lui répond : « Je ne suis pas là pour prendre ce que voulait Mondavi. Mon ambition est simplement de tirer le meilleur de la terre et de la défendre. Je respecte le travail des Américains mais nous avons le terroir, le savoir-faire et nous parlons la même langue, alors on devrait bien s'entendre. Et puis moi, un village qui s'oppose à un envahisseur, j'aime bien. Ça me rappelle Astérix et Obélix. À Aniane, je serai donc Obélix pour travailler la potion magique. Une potion qui nous rendra heureux » [183]. Habilement, en reprenant le thème de l'envahisseur sous forme d'une boutade moins naïve qu'elle n'y paraît, l'acteur cherche à mettre dans son camp tous ceux qui ont refusé l'implantation de Mondavi. Il en fait peut-être même un peu trop quand il rajoute : « J'ai toujours aimé les régions qui ont un vrai rapport avec la terre. Les régions où les gens ont souffert, où la terre parle et raconte une histoire. Pour un vigneron comme moi, l'Hérault, c'est d'abord 1907, avec ses souffrances, ses manifestations et ses morts. Les vins d'ici sont des vins robustes, puissants et généreux. Des vins chargés de morts dont il faut absolument défendre la mémoire. Je viens ici pour défendre une région, un terroir et une politique courageuse qui a refusé les investisseurs étrangers » [184]. Aimé Guibert ne dirait pas mieux !

Pourtant, il est difficile d'échapper à un parallèle entre Mondavi et le duo Depardieu/Magrez. Premièrement, la phase de séduction est similaire. Tous deux ont goûté le vin des deux fleurons d'Aniane. C'est par la réputation du Daumas Gassac et de la Grange aux Pères qui font le renom d'Aniane qu'ils fondent leur approche. À l'annonce de cette installation, l'objectif des deux associés est d'acquérir d'emblée un domaine de 40 hectares et de créer une cave. Même si les investissements ne sont pas comparables à ceux prévus par Mondavi, cela correspond tout de même à un projet de grande envergure. Mais en novem-bre 2002 [185], la stratégie de Depardieu/Magrez se précise. Ils ne débuteront leur implantation que par le rachat de quelques parcelles pour la production d'un vin de garage (peu d'hectares pour peu de production). Si l'aventure est concluante, ils envisageront l'achat d'une quarantaine d'hectares pour la production d'un

© Dunod. La photocopie non autorisée est un délit

vin haut de gamme. On retrouve ici la démarche de Mondavi ; une place pour créer un grand cru est toujours à prendre en Languedoc.

Bien que le groupe William Pitters ait une consonance anglaise, c'est une compagnie française. Son PDG est vigneron et négociant bordelais, très connu au sein de la profession viticole française. Il fait aussi figure de *self made man*. Les orientations stratégiques de ce groupe sont proches de celles des Mondavi. Le cœur de métier du groupe William Pitters est la vente de spiritueux à la grande distribution. Ce groupe commercialise du whisky, de la tequila, des cocktails, des punchs et surtout du porto. À la fin des années 70, le groupe crée la marque Malesan qui produit un vin d'assemblage de Bordeaux, commercialisé uniquement par le réseau de la grande distribution. À l'époque, comme bon nombre d'entrepreneurs innovants, il est lui aussi confronté à une profession viticole dubitative. Sa stratégie de marque dérange, certains craignant que la vente en hypermarché détériore la notoriété des produits locaux. Mais sa stratégie va s'avérer fructueuse, le grand public étant heureux de pouvoir acheter des vins de Bordeaux de bonne qualité à des prix attractifs. Ces bons résultats ajoutés à la passion du vin amènent Bernard Magrez à acquérir plusieurs vignobles dont le premier, et non le moindre, est le « domaine du Pape Clément », un grand cru classé de Pessac. Aujourd'hui, il est propriétaire d'une dizaine de domaines en France, principalement dans le Bordelais, et d'une dizaine de vignobles à l'étranger (Algérie, Argentine, Australie, Chine, Espagne, Italie, Maroc et Uruguay) [186].

Gérard Depardieu et Bernard Magrez sont liés par l'amitié mais aussi associés en affaires. Le premier fait bénéficier la marque William Pitters de sa renommée internationale, en échange de quoi les vins de Depardieu sont commercialisés par le réseau de distribution du Bordelais. Au mois de décembre, la nouvelle est officielle : Gérard Depardieu et son associé Bernard Magrez achètent 2,5 hectares de vignes Syrah aux Brousses à Aniane [187], environ 40 000 Euros l'hectare, soit le double du prix pratiqué habituellement. Même si la stratégie du groupe William Pitters ressemble comme deux gouttes d'eau à celle du groupe Mondavi, l'annonce de cette installation est accueillie chaleureusement. Gérard Depardieu est une personnalité populaire en France. « Nous, on l'a juste accueilli avec plaisir, c'est un peu la reconnaissance de notre territoire » [188]. Cette dimension médiatique devient « à la mode » dans le secteur viticole. Le vignoble languedocien se « vedettarise ». Pierre Richard est propriétaire d'un domaine à Gruissan, Christophe Dugarry à Aspiran. Philippe Noiret a également investi dans la région. Cette évolution rend dubitatifs certains professionnels locaux. Jean Huillet, le président de la fédération des caves coopératives de l'Hérault, se méfie de cette intrusion du show-biz sur le terroir local : « Pour moi, l'arrivée de Depardieu est un non événement. C'est quelqu'un qui a des sous et qui se paye un vignoble en Languedoc, comme des centaines d'autres. En termes de notoriété et de développement économique, l'arrivée de Depardieu n'amènera strictement rien. Hormis quatre strass et quelques paillettes quand il viendra vendanger avec ses copains » [189]. D'autres membres du milieu viticole local souhaitent également rappeler que l'acteur devra passer les mêmes épreuves que Mondavi. « Depardieu peut devenir une formidable caisse de résonance pour nous mais il doit d'abord s'intégrer au terroir » [190]. Quant au directeur de la SAFER, il ne cache pas sa crainte de voir augmenter la valeur foncière de la région, ce qui nuirait à l'installation des jeunes viticulteurs locaux. Mais ces critiques demeurent légères. Nous sommes

© Dunod. La photocopie non autorisée est un délit

loin de l'agitation sociale et politique engendrée par l'annonce du projet Mondavi.

LES VINS DE SEPTIMANIE

Dernier rebondissement en date, Georges Frêche, le maire de Montpellier, est élu à la présidence de la région Languedoc-Roussillon. Dès son accession au pouvoir, il se met en tête de débaptiser le Languedoc-Roussillon pour l'appeler la « Septimanie », appellation datant de l'époque des Wisigoths qui succéda à la « Narbonnaise », l'ancienne province romaine. Georges Frêche est agrégé, professeur de droit à la faculté et ancien élève d'HEC. C'est « le mélange unique au monde entre le droit canonique et le marketing », dira de lui François Hollande, en visite à Montpellier lors de la campagne des régionales. Admiré autant que craint – beaucoup disent que c'est un despote éclairé – il règne sur la ville de Montpellier en maître absolu depuis près de trente ans. C'est lui, sans conteste, qui a impulsé à cette ville son attrait et son dynamisme actuel.

Il voue à Jaurès une véritable admiration qui n'a d'égal que le mépris qu'il a porté et porte encore à François Mitterrand. Lorsqu'il décide de nommer un simple local technique « François Mitterrand », il répond au journaliste interloqué « une petite salle pour Mitterrand parce que c'est un petit homme politique ».[191] Il est intarissable sur l'Histoire de France. Il connaît les moindres faits et gestes des rois jusqu'aux noms de leurs maîtresses. Sa culture générale est abyssale comme en témoigne Paul Veyne Bedoin, son ancien professeur : « Georges Frêche est le seul étudiant auquel j'ai donné 19,5 sur 20 en quarante ans de professorat. Interrogé en histoire sur le roi hittite Suppiluliuma (vers 1360 avant notre ère), il m'exposa ce qu'avait fait ce potentat, ce qu'il aurait dû faire et ce que lui, Frêche, lui aurait conseillé de faire. »[192]

Georges Frêche est un homme haut en couleur et au franc parler. Lors d'une émission *Strip-tease*, il n'hésite pas à dire devant les caméras que « ceux qui ont sifflé la Marseillaise au Stade de France lors du match France-Algérie sont des "tarés" ». Lorsqu'il supprime *manu militari* le « Comité Régional des Lettres », *Le Canard Enchaîné* le qualifie « d'adepte du "régional-socialisme" ».[193] Aussi surprenant que cela puisse paraître, c'est comme cela qu'on l'aime dans cette région. Frêche est un redoutable homme à poigne, c'est aussi un formidable visionnaire pragmatique dont la devise est « les pieds dans la glaise, la tête dans les nuages ».

Galvanisé par sa victoire qui le mène à la tête de la région, Frêche, que plus rien n'arrête, décide de créer une nouvelle marque régionale, « Les Vins de Septimanie ». « Pour conquérir les marchés extérieurs, et être visible dans des pays émergents comme la Chine, il faut promouvoir une image unique. Mais cela ne remet pas en cause les diverses appellations et dénominations viticoles »[194]. Il s'agit de créer une bannière commune depuis les costières de Nîmes jusqu'aux côtes du Roussillon. Dans la foulée, Frêche envisage aussi de créer un Observatoire viticole régional, dont le but serait de mettre les vins en adéquation avec les attentes des consommateurs sans s'embarrasser des susceptibilités syndicales.

Mais une fois de plus, dans le petit monde vigneron local, cette révolution marketing est diversement appréciée. Une méthode rentre-dedans jugée « grossière et menaçante » pour certains. « Si la région impose Septimanie, elle sabote vingt ans d'investissements en communication. Et il nous en faudra vingt de plus pour faire connaître ce curieux terme de Septimanie. Ce

© Dunod. La photocopie non autorisée est un délit

qu'il faut faire, au contraire, c'est consolider le projet d'AOC Languedoc ». D'autres ne sont pas contre à condition que « la signature globale gomme le mot Languedoc » ou que cela n'encombre pas trop car « l'étiquette d'une bouteille, c'est pas un roman où on peut mettre plein de mots à la fois ». [195]

Le Midi viticole ne parle pas d'une seule voix et ses divisions ne peuvent que nuire à la mise en œuvre d'une stratégie laquelle, pour être efficace dans une économie de plus en plus globalisée, se doit d'être cohérente. Dans son rapport sur la compétitivité des vins français à l'exportation remis à Jean Glavany, alors ministre de l'agriculture, Jacques Berthomeau [196] met en exergue cette division. Analysant les budgets de communication spécifiques aux grandes régions viticoles françaises, Berthomeau constate que « le grand absent est le Languedoc-Roussillon » qui a deux conseils au lieu d'un seul : le Conseil Interprofessionnel des Vins du Languedoc (CIVL) et le Conseil Interprofessionnel des Vins du Roussillon (CIVR). « À la fin 2000, le principe d'une Fédération est péniblement sorti d'un grand conclave économique où les grands chefs de tribu de la région n'avaient pas déposé leur armement au vestiaire. Pour faire simple et ne pas m'immiscer dans cette bataille des chefs, il me semble tout à fait capital pour le Languedoc-Roussillon de pousser plus avant cette "dynamique" unitaire mais pour ce faire il va falloir chercher à réduire les fractures entre les VQPRD et les vins de pays, entre les vins de pays d'Oc et les autres vins de pays (départements et petites régions), entre les quatre départements languedociens, entre les grands groupes coopératifs audois et les autres, entre le Languedoc et le Roussillon, en tenant compte bien évidemment de l'action du conseil régional » [197].

On retrouve ici un des travers de la société française plus encline à nourrir les querelles de clocher qu'à unir ses efforts pour attaquer les marchés étrangers. Selon William Genieys, chercheur en sciences politiques, « au sein de la coopération viticole se développe un “poujadisme viticole”, notamment chez certains néo-viticulteurs en quête d'identité. Ce phénomène se traduit par le développement d'un discours politique de dénonciation du changement social induit par les politiques européennes » [198], mais aussi par un discours privilégiant le proche par rapport au lointain et conférant au terroir le rôle de rempart contre la mondialisation. C'est dans cette évolution vers le terroir et le chauvinisme territorial qui en découle que se noue l'explication centrale de l'échec de l'implantation de Mondavi à Aniane. Le corporatisme viticole n'a pas totalement disparu. Il s'est mué en une sorte de corporatisme du lieu, le syndrome des tribus gauloises.

© Dunod. La photocopie non autorisée est un délit

8

LES DIFFÉRENCES CULTURELLES AU CŒUR DE L'ÉCHEC

LE GRAND FOSSÉ

Ce projet d'investissement semblait paré de toutes les vertus. Conformément à leur culture du *win-win-win*, les Californiens s'étaient évertués à construire un projet bénéfique où tout le monde semblait gagnant : le groupe Mondavi qui allait produire un grand vin, les viticulteurs et la coopérative locale qui pouvaient prétendre bénéficier du savoir-faire commercial de la firme américaine et même le département de l'Hérault qui allait améliorer son image de producteur de vins de qualité.

La stratégie d'implantation semblait *a priori* respecter les grands principes qui président à la réussite d'un investissement à l'étranger. Progressivité de l'implantation depuis 1997 avec *Vichon Mediterranean*, nombreux soutiens de la part des locaux du métier et des principaux leaders politiques de la région, préoccupation écologiste pour préserver le site (vignes en îlots...), création de valeur dans le domaine productif et commercial (modernisation de la cave viticole d'Aniane, apport d'un important savoir-faire en matière de commercialisation à l'échelle internationale), valorisation de l'image de marque du territoire...

Malgré tous ces avantages et ces soutiens, ce projet s'est soldé par un échec. Progressivement, une fronde anti-Mondavi a vu le jour. Ce mouvement de mécontentement est devenu majoritaire à Aniane au point de stopper le projet lors d'un changement d'équipe municipale.

Comment expliquer l'échec de la stratégie d'implantation du groupe californien Mondavi dans le petit village d'Aniane ?

À PREMIÈRE VUE

Il serait tentant de considérer que l'explication essentielle de l'échec réside dans le rejet d'un homme, André Ruiz et de sa gestion municipale. Les Anianais auraient rejeté le projet Mondavi parce qu'ils voulaient rejeter Ruiz. Certes, ce dernier a commis de nombreuses erreurs. Mais il serait réducteur de se contenter de cette seule explication si l'on songe qu'au moment des élections, le choix électoral ne s'est pas limité à l'alternative Diaz contre Ruiz. Comme on l'a vu précédemment, les Anianais avaient le choix entre quatre listes. C'est un point de détail qui a son importance, car cela signifie qu'ils avaient la possibilité de battre Ruiz sans élire Diaz. Les listes Bonnafous et Magne offraient l'opportunité de barrer la route au maire sortant, sans remettre en cause le projet Mondavi. Ce ne fut pas le cas.

Une autre explication peut être avancée à propos du rôle de la presse, notamment locale. Dans tous les mouvements sociaux, savoir s'ajuster aux attentes des médias est une compétence qui peut être déterminante pour susciter la sympathie de l'opinion et assurer ainsi le succès de la mobilisation. Compte tenu de l'importance du projet pour la viticulture locale et en raison du passé historique que ce secteur représente dans la région, la presse était constamment en alerte sur ce dossier. De plus, la notoriété mondiale du groupe californien, de surcroît pionnier de la Napa Valley, ne pouvait que renforcer cet attrait.

Un journaliste au *Midi Libre* exprime des regrets au sujet de l'affaire. Pour lui, le traitement de l'information a été incomplet. Avec le recul, il pense que la presse n'a peut-être pas assez donné la parole aux habitants et peut-être trop aux politiques. Il y a aussi les risques de désinformation et de manipulation inévitables de la part des acteurs locaux qui disent à la presse ce qu'ils veulent bien dire. Ces filtres sont inéluctables, d'où l'importance du recoupement qui permet au journaliste de se faire une opinion en dehors de tout parti pris. Or, les Mondavi étant américains et installés en Californie, il n'était pas toujours évident de communiquer avec eux directement, même si David Pearson, leur représentant légal en Languedoc, était parfaitement bilingue. Il y aurait donc eu dans cette affaire un certain déséquilibre dans le traitement de l'information par manque d'informations de la part des promoteurs du projet[199]. Rappelons également que Ruiz, fragilisé, s'est muré dans un mutisme quasi total, ce qui ne fut pas le cas de son adversaire Diaz qui a multiplié les interviews.

À cela, on doit ajouter les pressions exercées par les opposants, notamment le comité de défense du massif de l'Arboussas. « Les gens qui mènent un combat pensent qu'on va abondamment leur donner la parole, mais la presse n'est pas leur porte-parole, on n'est pas un support de propagande, on essaye d'être objectif et équitable dans la diffusion des informations »[200]. Marcel Pouget ne décolère pas contre les journalistes, notamment ceux du *Midi Libre,* dont il estime qu'ils ne transmettaient pas suffisamment leurs revendications, ni les lettres qu'ils écrivaient au journal. À cette fin, son comité n'a pas hésité un jour à bloquer la caravane des journalistes lors de la course cycliste du *Midi Libre* pour faire passer un article. Dans le but de renforcer sa médiatisation, le comité avait créé un site Internet, encore accessible aujourd'hui et traduit en anglais, sur lequel on peut trouver toute

© Dunod. La photocopie non autorisée est un délit

l'argumentation de l'opposition au projet ainsi que quelques lettres ouvertes adressées au rédacteur en chef de *L'Hérault Judiciaire* ou comme nous l'avons vu, au président Vézinhet.

Le rôle de la presse appelle ici quelques précisions. La presse en général est soumise à une règle que les spécialistes appellent la loi de proximité. Cette loi de proximité repose sur l'idée qu'il faut capter l'intérêt du lecteur en retenant prioritairement les informations qui lui sont proches. Les quatre dimensions de cette loi sont : la loi de *proximité temporelle* (l'individu est en général plus sensible à ce qui va se produire plutôt qu'à ce qui s'est passé), la loi de *proximité géographique* appelée également la loi du *mort-kilomètre* (les faits qui se déroulent près de chez soi captent davantage l'attention que ceux qui se déroulent à l'autre bout de la planète), la loi de *proximité psycho-affective* (tout ce qui touche aux grands thèmes de la vie et de la mort – l'amour, la santé, la violence, l'argent, la peur, la haine, l'échec, la souffrance – est ressenti comme proche par une grande majorité des lecteurs) et la loi de *proximité spécifique ou socio-professionnelle* (le lecteur apprécie l'importance d'une information en fonction de sa profession, de ses attaches culturelles, de ses origines sociales).

Le traitement médiatique de cette affaire par la presse révèle parfaitement ces types de proximité. Surdimensionnement du *Midi Libre* comme journal régional par rapport aux autres journaux de même nature. Cela s'explique aisément par le fait qu'Aniane est un village héraultais qui se situe dans la zone de lectorat de ce journal. Présence de la presse spécialisée dans le secteur de la viti-viniculture (*La Revue du Vin de France*, *Réussir Vigne*...). Là aussi, il s'agit d'une autre forme de proximité. Parmi la presse spécialisée, on notera également une forte présence de la presse économique (*Les Échos*, *La Tribune*...) qui s'intéresse à ce type d'affaires mettant en prise directe les intérêts français. Enfin, *L'Humanité* et *La Marseillaise* tiennent une place à part en raison de l'étiquette politique de Diaz, l'un des principaux opposants à l'implantation du groupe Mondavi.

Cette loi de proximité s'exprime aussi par la recherche constante du spectaculaire et du scoop. Ceci explique les phénomènes de concentration d'articles dans des laps de temps très courts. Par exemple, l'arrêt définitif de l'implantation Mondavi a été largement relayé par la presse car elle mettait un point final à ce que certains appelaient déjà « *le feuilleton de l'été* ». Cette prédominance s'explique par la loi de proximité qui privilégie l'information « fraîche » (surévaluation du présent et du futur immédiat sur le passé ou le futur lointain).

À cette loi de proximité s'ajoute un autre biais : l'attrait de la polémique. Ce terme vient du grec *polemikos* qui signifie « relatif à la guerre ». L'évocation de ce mot est très fréquente tant dans la presse écrite que lors des journaux télévisés. Il suffit de se reporter aux définitions que le *Nouveau Petit Robert* donne des mots polémique et polémiste. Les exemples donnés ont souvent un lien direct avec le journalisme : « Une grande polémique s'engage à ce sujet dans la presse » ; « Cette journaliste est une redoutable polémiste ». Il est donc évident que la presse n'a pu résister à la faconde d'un Guibert ou aux diatribes d'un Diaz par rapport au discours policé d'un Pearson ou effacé d'un Ruiz.

Ces biais n'ont fait qu'accentuer le déséquilibre des rapports de force médiatiques entre les protagonistes du projet. Consciemment ou non, les règles inhérentes au fonctionnement du journalisme ne pouvaient que favoriser ceux qui s'opposent et contre-attaquent par rapport à ceux qui proposent et construisent.

Il ne faut cependant pas exagérer l'impact de la presse sur l'intime conviction des citoyens. La démocratie, c'est le droit de

© Dunod. La photocopie non autorisée est un délit

vote, plus l'isoloir. Dans le secret de l'isoloir, chacun est libre d'exprimer son opinion sans pression sociale. Il faut donc chercher d'autres causes.

DEUX ESPRITS D'ENTREPRISE OPPOSÉS : L'OPPORTUNITÉ ET LA RENTE

On sait depuis *De la Démocratie en Amérique* d'Alexis de Tocqueville qu'il existe une différence fondamentale entre les États-Unis et la France : l'une correspond à une société autorégulée et contractuelle, l'autre à un modèle étatique centralisé. On comprend également que le droit occupe une place essentielle dans la société américaine, construite à l'origine par des avocats (*lawyers*), « seuls colons venus du Vieux Continent assez lettrés pour pouvoir s'exprimer en public et articuler des discours politiques »[201], tandis qu'en France ce sont les énarques qui occupent les premières places.

L'histoire de la constitution des États-Unis, acquis au libéralisme, diffère fondamentalement de celle de la France, marquée par l'interventionnisme de l'État. Pour comprendre le rôle central qu'occupe l'entrepreneur dans la société américaine, il suffit de se reporter à cette phrase de Thomas Jefferson, un des pères fondateurs de la démocratie américaine : « La meilleure des sociétés est celle qui se compose du plus grand nombre possible d'entrepreneurs indépendants... propriétaires des outils nécessaires à leur activité, seuls responsables de l'organisation de leur travail et ne recevant par là même d'ordre d'aucun autre mortel... »[202]. On retrouve ici toute l'essence de la philosophie politique et économique des libéraux. L'entrepreneur devient l'unité de base de l'économie de marché et le fondement du libéralisme. Cette conception libérale est clairement explicitée dans la définition américaine de la PME. Dès 1953, le *Small Business*

Act américain définit la PME comme une entreprise possédée et dirigée de manière indépendante et qui n'est pas dominante dans son secteur d'activité. L'image de la PME et de l'entrepreneur est valorisée aux États-Unis. « Aux USA, la connaissance qu'a le grand public du nom d'entrepreneurs est au moins égale à celle qu'il a d'hommes politiques ; cette situation témoigne que ces entrepreneurs figurent parmi les éléments d'une idéologie et des réalités constitutives de l'histoire de ce pays »[203].

Dans les pays anglo-saxons, l'entrepreneur est constamment associé à l'innovation, au dynamisme, à l'initiative privée, au goût du risque... Il incarne une forme de modernité permanente où, contrairement à ce que beaucoup pensent, la quête du progrès est peut-être plus importante que la recherche du profit. C'est l'image de la PME *high tech,* stéréotype de l'entreprise moderne par excellence, créatrice d'emplois et capable des plus grandes prouesses technologiques. On retrouve ici le modèle de la *Silicon Valley* en Californie. Dans la plus vaste enquête jamais réalisée dans le domaine de l'entrepreneuriat, le consortium GEM (*Global Entrepreneurship Monitor*)[204] mesure chaque année le Taux d'Activité Entrepreneurial, un indice de vitalité de l'esprit d'entreprise dans les pays. En 2003, les États-Unis affichent un score de 11,3 %, tandis que la France, en dernière position sur les 31 pays ayant participé à l'étude, obtient péniblement 2,4 %.

Inutile de préciser au vu de ces chiffres que la France et les États-Unis sont en matière d'esprit d'entreprise totalement opposés. L'image que l'on associe à l'entrepreneur français n'est pas toujours celle d'un individu dynamique et conquérant mais plutôt celle d'un patron de PME qui exploite son affaire en bon père de famille (*pater familias*). En France, le secrétariat d'État à la PME a toujours été rattaché au commerce et à l'artisanat.

© Dunod. La photocopie non autorisée est un délit

L'image qui transparaît le plus souvent est celle du patron d'une petite entreprise de province, cantonnée dans des activités traditionnelles (la petite exploitation familiale agricole, l'artisanat ou le petit commerce) dont le niveau technologique est relativement faible, et cultivant l'amour du métier. Dans un discours prononcé lors de son élection à la tête de la CGPME (Confédération Générale des PME), Lucien Rebuffel décrit l'entrepreneur français de façon saisissante : « Oui, l'image la plus simple qui intègre à la fois le geste de l'ingénieur à sa manière, celui de l'universitaire à sa manière, du commerçant, de l'industriel, du prestataire de services à leur manière : c'est l'image antique du paysan sumérien, égyptien, grec ou gaulois : il crache dans ses mains et empoigne sa bêche. Pour réussir dans la vie, de génération en génération, les entrepreneurs l'ont démontré et la loi semble universelle : il faut obstination, travail et courage »[205].

L'image de la PME reste associée au passé, aux métiers traditionnels. Nous avons en France tous les jours un exemple de cette conception traditionnelle de la PME lors du décrochage régional de Jean-Pierre Pernaud pendant le JT de TF1. En fin de JT, à 13 h 24 pour être précis, un reportage présente généralement une petite exploitation familiale, rurale ou artisanale, qui perpétue un métier ou un savoir-faire séculaire dans une belle province de la France profonde. Pèle mêle, on citera Germaine, la centenaire qui fabrique des tricots de peau, ou encore les crocheteuses de fil à soie du parc de la Tête d'Or à Lyon… Ce traditionalisme engendre parfois des réflexes corporatistes reposant sur la défense des avantages acquis et la préservation des rentes de situation. « S'agissant des privilèges, les Français se sont ingéniés à les multiplier, puis à se les transmettre dans une logique de castes. Les privilèges de l'argent, du capital social, de la méritocratie scolaire ou du statut jouent un rôle important, au sens où, dans un premier temps, on consacre beaucoup d'énergie à se les approprier, et dans un deuxième temps, on utilise encore plus d'énergie à les maintenir »[206]. À l'instinct d'innovation des Américains, il faut opposer l'instinct de protection qui anime l'esprit d'entreprise français. *Le ressort entrepreneurial n'est pas la saisie des opportunités mais l'évitement des menaces.* Lucien Rebuffel, alors président de la CGPME, déclarait en 1998 : « Oui, il n'y a pas d'autres voies, il n'y a pas d'autres alternatives, pour la sauvegarde de ce à quoi nous croyons, que de rester "unis dans la Doctrine et dans l'Action", contre tout ce qui menace les PME et PMI de France ou leur nuit et d'où que la menace ou la nuisance vienne ». On retrouve dans ces propos des relents corporatistes qui traduisent un *réflexe de proximité* où l'on privilégie ce qui est proche et l'on rejette ce qui est inconnu ou étranger.

Au besoin d'accomplissement et de réalisation de soi (*need of achievement*) qui caractérise l'entrepreneur américain, on doit opposer le besoin de socialisation et de reconnaissance de l'entrepreneur français qui se notabilise, « parfois en se faisant élire à des postes de responsabilités dans les chambres consulaires ou les organisations professionnelles (le besoin de pouvoir). Il en résulte un comportement anti-concurrentiel, tendant à privilégier les entreprises du territoire et à créer des rentes de situation »[207].

Nous verrons par la suite que dans le secteur viticole, ce type de comportement est favorisé par le rôle de l'État français (création et défense des AOC, droit de préemption de la SAFER, droits de plantation, contrôle des structures, octroi de subventions, soutiens conjoncturels aux insuffisances de la demande...). L'interventionnisme et le protectionnisme ont conditionné pendant de nombreuses années des comportements rentiers chez les entrepreneurs viticoles français.

La France et les États-Unis s'opposent donc dans leurs formes d'esprit d'entreprise. La France se caractérise par une conception

© Dunod. La photocopie non autorisée est un délit

traditionaliste qui se démarque de la philosophie libérale. Ainsi, le libéralisme dont se prévaut la CGPME est un *libéralisme tempéré*. À l'opposé, une image plus moderne correspond au type d'entrepreneur américain, plus innovateur, plus risqueur et donc naturellement plus investisseur. Ce sont ces attitudes qui confèrent souvent à l'entrepreneur américain son avantage pionnier.

Ces deux cultures entrepreneuriales ont joué de manière manifeste dans cette affaire. Si l'on compare les attitudes des deux familles qui se sont opposées, les Guibert face aux Mondavi, il est évident que cet affrontement révèle jusqu'à la caricature les deux types d'entrepreneurs précédemment évoqués.

L'ANTI-AMÉRICANISME DANS LA TRADITION FRANÇAISE

Dans son ouvrage *L'Obsession anti-américaine*[208], Jean-François Revel considère que « la haine de la civilisation libérale est pour beaucoup la clef de l'obsession anti-américaine et elle remonte loin dans le passé. Hubert Beuve-Méry, le futur fondateur et directeur du *Monde*, écrivait en mai 1944 : “Les Américains constituent un véritable danger pour la France. Danger bien différent de celui dont nous menace l'Allemagne ou dont pourraient éventuellement nous menacer les Russes... Les Américains peuvent nous empêcher de faire une révolution nécessaire et leur matérialisme n'a même pas la grandeur tragique du matérialisme des totalitaires. S'ils conservent un véritable culte pour l'idée de Liberté, ils n'éprouvent pas le besoin de se libérer des servitudes qu'entraîne leur capitalisme”. Pour formuler une telle opinion à un moment où le débarquement allié à venir pouvait encore échouer, où la puissance nazie, quoiqu'amoindrie, asservissait toujours l'Europe, où l'on savait ce qu'était le stalinisme, il fallait une hiérarchie des valeurs et des dangers selon laquelle la menace libérale primait toutes les autres ».

En fait, l'anti-américanisme puise ses racines au tout début du XXe siècle avec le déclin progressif d'une Europe meurtrie par ses guerres qui ne cessait de se comparer à la puissance naissante des USA. La peur de l'effacement de la civilisation européenne face à la civilisation américaine génère les premiers réflexes anti-américains. Ceux-ci peuvent se résumer en trois points de rejet : l'argent roi, la standardisation et le totalitarisme.

L'anti-américanisme est véhiculée par l'image d'une Amérique abstraite qui idolâtre l'argent et ramène toutes les autres valeurs à ce commun dénominateur. À ce propos, Pascal Baudry raconte dans son ouvrage une anecdote instructive : « Lors de mon premier voyage aux États-Unis, en 1966, une banderole annonçait, devant le Smithsonian Institute de Washington : "Venez voir notre tableau de 5 millions de dollars", sans plus de précision. Comme me l'expliqua un gardien : "Tout le monde ne sait pas qui est Léonard de Vinci, mais tout le monde sait ce que sont 5 millions de dollars". Dans la culture américaine, l'unité de mesure universelle est le dollar. Cette dollarisation de tout rend fongible ce qui serait unique et irréductible dans la culture française, et permet l'évaluation, la comparaison et l'échange »[209].

La France voit également en l'Amérique une société qui tend à uniformiser les biens et les modes de consommations. Par son mode de production tayloriste et fortement standardisée, elle tend à réduire l'originalité de l'individu. La France défend moins le territoire que le sens du terroir, l'« art de vivre français ». Soulignons que le terme de « terroir » n'existe pas en anglais. On comprendra alors pourquoi la gastronomie et le vin sont les champs privilégiés de la protestation anti-américaine. Ils sont communion et civilisation.

L'image d'une Amérique totalitaire est également bien ancrée dans la tradition française. L'État américain est libéral, mais la

© Dunod. La photocopie non autorisée est un délit

manipulation des besoins et la transformation de l'individu en consommateur fait d'elle une société totalitaire. Totalitaire parce que dans le système américain – « *l'american way of life* », – tout serait lié, les techniques de production, les habitudes de consommation, les présupposés idéologiques et moraux. [210] La peur de la standardisation et de l'effacement des spécificités est toujours présente.

Dans notre cas, le choc des cultures USA-France va constituer un ressort psychologique de la mobilisation contre le projet Mondavi. L'image de « l'Américain » constitue un facteur explicatif du rejet du projet. La majeure partie des personnes opposées ou favorables au projet fait une allusion à la nationalité américaine du porteur de projet et au choc que cela peut engendrer face aux traditions locales. « Faut-il avoir peur ou pas de l'Américain Mondavi ? » titre *Le Midi Libre* en juin 2000.

Un propriétaire de cave particulière qui était favorable à l'arrivée de Mondavi exprime quand même un sentiment d'injustice face à la puissance économique américaine : « paradoxal quand même que cet Américain avec cette puissance financière puisse profiter d'un bail emphytéotique (prix dérisoire), alors que nous, on a quand même beaucoup de difficulté, je pense qu'il aurait pu payer un peu plus par des conditions particulières ». [211]

L'image de « l'Américain » conquérant va ainsi commencer à se propager au sein du village. À ce sujet, une anecdote amusante circule au village. La première fois que Tim Mondavi se rendit à Aniane, il portait un chapeau de cow-boy, un Stetson. Sa venue ne passa pas inaperçue et la nouvelle fit le tour du village. Avec sa barbe et sa grande stature, on peut imaginer l'effet que put produire une telle image dans ce tout petit village de l'arrière-pays languedocien [212]. Certains y verront une forme de violence symbolique, comme Diaz par exemple : « Le fils de Mondavi est arrivé avec un chapeau de cow-boy. C'était horrible, comme s'il arrivait en territoire vierge, il y avait des relents de conquête de l'ouest, il ne manquait que le cheval »[213].

LE CHOC DES CULTURES DE MÉTIERS : LES NPP FACE AUX PPT

Cette affaire met également en évidence l'opposition entre deux conceptions, deux éthiques, deux cultures du métier du vin. Les États-Unis font partis des Nouveaux Pays Producteurs (NPP - on retrouve dans ce groupe l'Australie, la Nouvelle-Zélande, le Chili, l'Argentine, l'Afrique du Sud...), dont le potentiel de production ainsi que la pénétration sur le marché mondial ont considérablement augmenté. Ces pays produisent surtout des vins de cépage que l'on oppose aux vins d'appellation produits par les Pays Producteurs Traditionnels (PPT – on retrouve dans ce groupe la France, l'Italie, l'Espagne et l'Allemagne). Dans les NPP, l'origine géographique du raisin et le lieu de vinification importent moins que le cépage. Aux États-Unis, seules quelques wineries indiquent leur localisation sur leur étiquette. Un bulletin de l'Office International du Vin explique le succès des producteurs des NPP par les indicateurs suivants :

– la diversité géographique qui permet l'introduction de plusieurs cépages et la possibilité d'augmenter la production,
– l'absence de contraintes réglementaires ou traditionnelles,
– l'existence de *clusters*, où les entreprises sont en situation de coopération-concurrence,
– l'investissement en recherche et développement vers la qualité et l'innovation,
– l'utilisation d'une approche commerciale fondée sur le goût des clients (approche marketing)[214].

Les NPP bénéficient aussi d'une forte concentration de leurs metteurs en marché, aux importants budgets de communication,

© Dunod. La photocopie non autorisée est un délit

et d'une forte capacité de réaction à l'égard des acheteurs de la grande distribution... mais le point le plus fort est que « leurs vins répondent à une qualité constante qui correspond aux goûts et aux attentes des consommateurs. En investissant dans la technologie, l'innovation et la recherche, les pays producteurs du nouveau monde ont mis en marché des produits de qualité constante qui après avoir gagné la confiance des consommateurs leur ont permis de gagner de nombreuses parts de marché »[215].

Leur réussite est parfois fulgurante. Sur le marché anglais, considéré par les spécialistes comme un « marché test » pour la concurrence en raison de l'absence de producteurs locaux, les vins australiens sont en passe de ravir la première place aux vins français. Tandis que la part de marché des vins français s'effondre de 39 % en 1994 à seulement 26 % en 2000, les vins australiens passent dans le même laps de temps de 8 % à 17 % et les vins américains de 2 % à 7 %. Les anciens liens du Commonwealth ajouté à l'irrésistible pouvoir des marques et à une commercialisation offensive sont les principales raisons de ce nouveau rapport de force en faveur des NPP. Le premier groupe australien Southcorp compte 50 représentants en Angleterre alors que CVBG le plus gros importateur français n'en a que deux[216]. Effaré par cet effondrement aussi rapide, le ministre de l'agriculture Jean Glavany demande à Jacques Berthomeau de faire un rapport qui a été remis en juillet 2001. Les conclusions du rapport sont éloquentes : « La France a vécu trop longtemps sur sa bonne renommée passée. Il est désormais nécessaire que l'industrie du vin perde son élitisme hautain et prenne la menace des vins du nouveau monde au sérieux ».[217]

Plus facile à écrire qu'à faire. La culture ne se change pas par décret. Particulièrement en France, le vin n'est pas un produit comme les autres. C'est un des ingrédients principaux de l'art de vivre à la française et à ce titre tout ce qui touche au vin suscite dans notre pays, sûrement plus qu'ailleurs, des réactions affectives et des comportements économiques souvent irrationnels. Certaines pratiques des pays du Nouveau Monde agacent les puristes des pays traditionnels. Une des techniques les plus controversées est la macération de copeaux et autres fragments de bois au sein des vins. « Dans les vignobles du Nouveau Monde, principalement aux États-Unis et en Australie, on espère de la sorte copier le célèbre "goût boisé" des plus grands vins européens, bordelais rouges ou bourguignons blancs en particulier. Le boisé relève d'une technique complexe et coûteuse, et schématiquement, consiste durant de long mois à "élever sous bois" les meilleurs vins de ces terroirs. Mais le goût s'estompe au fur et à mesure que la barrique vieillit. Il faut donc renouveler régulièrement le stock de futaille. Une barrique de chêne de bonne qualité coûte environ 500 Euros. Autrement dit, d'un côté un investissement de deux centimes au litre quand on utilise des copeaux, brûlés ou non, et de l'autre de 2 Euros au litre lorsqu'on emploie des barriques de chêne neuves, soit un rapport de 1 à 100 »[218].

Un autre antagonisme qui horrifie les pays traditionnels réside dans la commercialisation qui se fait « à l'américaine » dans des *wineries.* Une winery est une cave de vinification qui dispose aussi d'un lieu de vente aménagé pour y accueillir des touristes qui achètent des vêtements, des bibelots, de la lingerie et éventuellement du vin. Dans certaines d'entre elles, seulement 10 % du chiffre d'affaires est réalisé avec le vin. Les *Wine Tours* (circuits du vin) organisés par Robert Mondavi attirent aujourd'hui plus de 300 000 personnes par an, soit près de 1 000 personnes qui visitent sa winery chaque jour. Avec un tarif de 10 dollars par personne, on peut aisément imaginer l'intérêt de ce type de commercialisation. On est loin des caves sombres et humides, réservées à des connaisseurs élitistes de France.

© Dunod. La photocopie non autorisée est un délit

Mondavi correspond pleinement à cette culture de la demande où ce sont les innovations commerciales et les plans marketing qui font la différence [219]. Mondavi semble convaincu que la mise en place d'une politique de marque, déclinée à travers des marques ombrelles, est la solution la plus efficace. Plus les marques se positionnent vers le haut de gamme, plus leurs efforts en terme de *marketing mix* doivent être pertinents. La société Mondavi a lancé en octobre 2000 une campagne de publicité TV de 11 millions de $ pour soutenir sa marque Woodbridge à l'occasion d'émissions très populaires. De même, Mondavi a offert très récemment 20 millions de $ pour construire un « Centre de la Table et du Vin » dans la Napa Valley, afin d'éduquer le goût des consommateurs américains à ce nouvel art de vivre. Tous ces exemples montrent que la culture du métier du vin est fortement orientée vers le consommateur. Ce qui est à peu près l'inverse de la culture des PPT.

Dans les pays de traditions viticoles comme la France, l'Italie, l'Espagne, l'agriculture représente un enjeu de taille qui touche à la fois l'affectif, le social, la tradition et la culture. Le secteur viti-vinicole est à la fois très dispersé (grand nombre de petits producteurs) et très réglementé, ce qui constitue un handicap sérieux face à la mondialisation du marché du vin. L'Europe et la France plus encore, dont le "tout réglementation" est devenu presque une devise, limitent les possibilités d'orienter l'offre en fonction de la demande. Le besoin de protéger les aires de production régionales a nécessité la mise en place de réglementations strictes dont les AOC sont le meilleur exemple. « L'AOC, innovation française datant de 1935, est l'aboutissement d'une volonté des producteurs, de l'administration et du législateur qui, depuis le début du siècle, ont cherché à protéger le patrimoine viticole français et à contrôler la qualité des vins [220]. Outre une garantie de qualité, on a recherché aussi la garantie de l'origine. L'appellation est devenue une marque collective garante d'un lieu précis et authentifiant une qualité. La loi de 1935 instaure l'appellation d'origine contrôlée et confie au syndicat des producteurs l'appellation et à l'institut national des appellations d'origine le soin de définir les conditions de production (cépages autorisés, rendement maximum, degré d'alcoolique minimum, procédés de culture et de vinification...) et de délimiter l'aire d'appellation »[221].

Les grands principes de base réglementent les aires de production, les cépages, les rendements à l'hectare, le degré alcoolique minimum tel qu'il doit résulter de la vinification naturelle et sans aucun enrichissement, aux procédés de culture et de vinification. « Ce dispositif, parfois contraignant (la réglementation impose un grand nombre de restrictions : interdiction d'irriguer, interdiction d'utiliser un boisage par copeaux, interdiction d'expérimenter de nouveaux types de vins AOC avec des cépages non traditionnels... toutes ces restrictions n'existent pas dans les NPP...) aurait freiné beaucoup de régions françaises dans l'adaptation ou la modification de leurs technologies pour répondre aux évolutions du goût des consommateurs. Les quantités produites étant limitées, si la demande augmente, il est très difficile d'y répondre. À l'inverse si la demande diminue, il est presque impossible d'élaborer d'autres types de vins. »[222]

Cet excès de réglementation freine l'innovation et circonscrit la production d'un vin dans le cadre de règles strictes qui rendent l'offre difficilement capable de s'adapter aux évolutions quantitatives et qualitatives de la demande. En revanche, l'AOC s'accommode idéalement du comportement rentier de l'entrepreneur corporatiste français car « l'AOC provoque une rente directe pour les producteurs dans la mesure où le prix peut être plus élevé que l'augmentation des coûts de production liés au respect

© Dunod. La photocopie non autorisée est un délit

du cahier des charges. Ce prix est d'autant plus élevé que le consommateur achète non seulement le produit lui-même mais aussi l'image qu'il a du pays »[223].

La lecture économique de ce lien entre le terroir et le produit nous ramène une fois de plus à la thèse de la préservation de la rente. Dans un remarquable travail statistique, Jean-Pierre Couderc et Hervé Remaud, chercheurs au laboratoire MOISA de l'Agro Montpellier, évaluent la répartition de la richesse tout au long de la filière viti-vinicole française[224]. Ils distinguent trois stades : les acteurs de la production (stade amont), ceux de la transformation incluant l'embouteillage (stade intermédiaire) et les metteurs en marché (stade aval). Leur estimation de la filière établit une valeur ajoutée totale de 13 800 millions d'Euros qui se répartit en 6 000 pour le niveau viticulture, 4 300 pour les entreprises intermédiaires et 3 000 pour les différents circuits de distribution. « Cette répartition montre clairement au sein de la filière, une plus grande appropriation relative de la création de richesses par le stade amont ». Ce qui signifie que le rapport de force au sein de la filière viticole française penche en faveur des producteurs au détriment des metteurs en marché. Ces derniers, « sont en effet, soumis aux pressions commerciales d'une distribution française et étrangère très concentrée et d'un secteur amont disposant d'une image de qualité dans les grandes appellations françaises et plus généralement de légitimités territoriales fortes »[225]. En effet, l'indication géographique est une manière pour les producteurs de s'assurer un rapport de force favorable au sein de la filière par rapport aux négociants grâce à la maîtrise du foncier. La matière première n'est pas substituable, elle devient même unique grâce au marquage territorial. Dans un système d'AOC, le foncier donne la légitimité à la rente de production, favorisant une conception plus patrimoniale que commerciale du métier. À l'inverse, si l'on dissocie le vin de son terroir, on permet alors un approvisionnement plus large, sur plusieurs bassins de production, ce qui aurait pour effet d'entraîner un transfert de valeur ajoutée de l'amont vers l'aval. Les fournisseurs de raisins deviendraient relativement substituables, ce qui alimenterait à long terme la concentration des exploitations et à terme une baisse des prix. À la manière du taylorisme qui a transformé le petit artisan, maître de son métier en un ouvrier spécialisé parfaitement interchangeable, l'industrialisation dans le secteur viticole risquerait de faire du noble viticulteur un simple fournisseur d'une matière première indifférenciée. En déconnectant la vigne du vin, en coupant le vin de sa terre, on réduit les rentes foncières et on transforme radicalement l'esprit du métier. C'est ce scénario qu'un grand nombre de viticulteurs refusent et combattent. On comprend alors pourquoi la mondialisation apparaît comme une menace surtout si elle induit une logique de marché qui ne peut reconnaître de telles barrières à l'entrée. Le lien au terroir est, pour les uns, une assurance contre la mondialisation, pour les autres, une pratique anti-concurrentielle[226].

Franck Dubourdieu, œnologue bordelais, n'hésite pas à qualifier l'AOC de "rente de situation" : « depuis 1935, les syndicats de défense de chaque appellation ont développé l'idée que les vins produits dans les limites géographiques d'une appellation donnée présentaient des caractères organoleptiques "typiques", c'est-à-dire communs à tous, et distinctifs d'autres vins issus d'appellation différentes, mêmes limitrophes. Ce raisonnement laisse croire au non-initié que ce goût est reconnaissable. On lui attribue d'ailleurs des descriptions stéréotypées, toujours laudatives, répondant ainsi à l'attente du consommateur. Il faut dénoncer cette idée de "typicité" promue dans un esprit aussi réducteur que fallacieux. Il commence à être connu, plutôt chuchoté à l'oreille entre initiés qu'avoué ouvertement au grand public, que la dégustation comparative dans les règles démontre l'inanité de

© Dunod. La photocopie non autorisée est un délit

ce concept. Le terme de « typicité » continue pourtant d'être récurrent dans tous les écrits ou discours de spécialistes. Il n'a d'autre sens que de servir les intérêts des appellations bien nées et de construire l'image d'un goût « identitaire » propre à rehausser artificiellement la qualité du vin ». [227]

La France est leader dans la création d'un cadre juridique et réglementaire qui protège les droits de propriété sur les noms de lieux de certains produits spécifiques. Nous l'avons vu, il existe en France plus de 450 AOC et 150 vins de pays. Il existe des milliers de noms de propriétés, de domaines, de châteaux, de dénominations. Cet émiettement est le signe d'une longue histoire. Par exemple, le Bordeaux se décompose en 56 AOC à travers un modèle élaboré d'appellations emboîtées et hiérarchisées allant des régionales (Bordeaux, Bordeaux supérieur) aux communales (Saint-Julien) en passant par les sous-régionales (Médoc) [228].

Nous faisons ici l'hypothèse que ce grand nombre d'AOC résulte de l'émiettement de notre territoire national en 36 000 communes, soit autant que la somme des communes de tous les autres pays de l'Union Européenne. Ce découpage fin du territoire est une spécificité française. L'invention française des AOC résulte du même état d'esprit. Elle peut être interprétée comme un émiettement spatial clôturé à l'image de nos milliers de communes. Chaque village veut avoir son terroir. Mais ces stratégies d'identité territoriale sont-elles toujours compréhensibles ? Que signifie Saint-Chinian ou Saint-Georges d'Orques aux yeux de ceux qui pensent, vu de loin, que Paris est la capitale de l'Europe ?

Ces labels de qualité fondés sur le terroir font aujourd'hui l'objet d'une vive opposition à l'OMC de la part des États-Unis mais aussi des pays de Cairns (Afrique du Sud, Argentine, Australie, Chili, Nouvelle-Zélande...), lesquels considèrent que les AOC sont une entrave au marché et qu'elles aboutissent à des situations de monopole. Selon ces derniers, l'AOC est un outil corporatiste qui défend l'intérêt de certains agriculteurs au détriment des consommateurs. Pour des raisons culturelles, ces pays relativement jeunes pour la plupart, comprennent difficilement les notions de patrimoine et de terroir mises en avant par les pays européens.

Conclusion

LE CORPORATISME DU LIEU, EXCEPTION CULTURELLE FRANÇAISE

LE TOUR DE GAULE

L'AFFAIRE DON PANOZ AU LAC DU SALAGOU

L'affaire Mondavi à Aniane n'est pas le seul exemple d'échec d'une implantation en Languedoc. Un an auparavant, le site du lac du Salagou, près de Lodève, fut le théâtre de la même hostilité à l'égard d'un projet de développement économique. Le projet, initié par la FFSA (Fédération Française de Sport Automobile), consistait à créer un complexe automobile sur une partie des 470 hectares du site d'une ancienne mine d'uranium, exploitée pendant vingt ans par la Cogema et fermée depuis 1998.

Une fois de plus, on retrouve la même unanimité des grands élus locaux : le Conseil régional du Languedoc-Roussillon, le Conseil général du département de l'Hérault, avec André Vézinhet toujours aussi enthousiaste. Même l'État serait prêt à investir dans ce projet d'aménagement du territoire. Le projet est d'envergure puisque le montant des investissements annoncés est de 45 millions d'Euros, ce qui générerait la création de 230 emplois. Le « Circuit Méditerranée » est même présenté comme le plus grand d'Europe avec une quinzaine de pistes dédiées à l'automobile et à la moto, une piste de vitesse en ovale de 2 kilomètres de long et un centre de formation et d'essais techniques. Les locaux désaffectés de la Cogema pourraient être rénovés pour accueillir un musée de voitures anciennes.

À ce complexe automobile s'ajoute un projet connexe, porté par Donald Panoz, un passionné de sports mécaniques qui s'est enrichi grâce à l'invention du patch antitabac. Ce dernier veut construire, sur les berges du lac de Salagou, un golf de dix-huit trous avec un hôtel de standing de 250 chambres. Cet établissement viendrait compléter au sud de l'Europe le réseau de golfs avec hôtel qu'il a mis en place aux États-Unis et à San Andrew en Écosse[229]. Don Panoz présente de nombreuses similitudes avec Robert Mondavi. Il est lui aussi américain, milliardaire, d'origine italienne et fondateur d'une société aujourd'hui leader dans son domaine.

À l'instar de Robert Mondavi, Don Panoz fait également partie de ces *self made men* qui voient grand. Il correspond pleinement à la culture de l'abondance. Une interview qu'il accorde à un journaliste de *Le Mans Racing* permet d'apprécier son sens des affaires et le diagnostic qu'il porte sur la culture française. « À Indianapolis, la course dure seulement 3 heures et demie. Et bien, avec leur sens du spectacle et du business, les organisateurs mettent en relief l'événement pour qu'il se déroule pendant tout… un mois ! Et pendant tout ce temps-là, les royalties tombent dans les caisses de l'Indiana ! Alors, lorsqu'on sait qu'au Mans, la course dure 24 heures et que "l'événement" lui-même ne dure que sept petits jours, on peut se dire qu'il y a sûrement des choses à faire. Alors Le Mans ? Il faudrait que cela dure au moins quinze jours… ! À coup sûr, l'épreuve gagnerait en prestige, en retentissement médiatique et en profits monétaires. (…) Pour vous, en Europe, la tradition compte beaucoup. Le fait que le circuit se soit maintenu sur son tracé originel, une route ouverte à la circulation, est sans aucun doute la clé du succès de l'épreuve. (...) Mais, en revanche, lorsqu'il s'agit de mettre en place les bonnes infrastructures, de vouloir les mettre en valeur au bon endroit, de vouloir faire plus grand, de vouloir en faire plus : cela devient un terrible handicap ! Tout cela pour vous expliquer que les meilleures idées ne collent pas forcément avec la culture que les passionnés et les responsables se font de leur course ! ».

À la fin de l'interview, le journaliste l'interroge sur son projet à Lodève. Ce dernier répond : « C'est exact, j'y ai des projets. Il s'agit de la création d'un circuit fermé. La Fédération Française de Sport Automobile, qui veut développer davantage de circuits, se dit intéressée. Reste qu'il ne faut pas précipiter les choses afin que celui-ci plaise à tout le monde et soit mis sur les bons rails... »[230].

Les propos de Panoz vont s'avérer prémonitoires. Rapidement, une opposition se développe contre ce complexe sportif et touristique jugé trop grand ou pas assez proche des préoccupations des gens du lieu. C'est tout d'abord l'association *Paїs*, dont l'objet social est de réfléchir à un aménagement intégré au Salagou, qui se manifeste. Ce projet hôtelier « fout en l'air un développement économique basé sur un tourisme de qualité et de proximité dans un site où on recherche avant tout une nature sauvage », dénonce le président de l'association *Paїs*. « Si on casse l'image du Salagou avec ce ghetto pour riches, ce pour quoi les gens viennent n'existera plus ».[231] Pour les membres de *Paїs*, l'avenir du Salagou passe par des emplois durables. De plus, le plateau convoité par Don Panoz a été loué avec des baux emphytéotiques à deux agriculteurs par le Conseil général. « J'y suis, j'y reste », résume, un éleveur de brebis et producteur d'agneaux biologiques. « S'ils m'avaient contacté pour installer un champ d'éoliennes, un site expérimental de débroussaillage ou une action à caractère social,

© Dunod. La photocopie non autorisée est un délit

j'aurais pu envisager de partir. Mais là, pas question. D'autant moins que, maintenant, je n'ai plus confiance dans le Conseil général »[232].

Au fil des jours, l'opposition grandit et les habitants sont de plus en plus partagés à tel point que les Verts s'emparent de l'affaire pour en faire leur cheval de bataille aux prochaines élections municipales et cantonales. « Au-delà de la radioactivité du site et des nuisances sonores pour lesquelles nous demandons des études sérieuses, nous avons la certitude, au regard de l'activité des autres grands circuits, que ce projet se soldera par un fiasco financier, et gèle l'implantation d'entreprises candidates », s'emporte le représentant des Verts à Lodève. Après une série de manifestations, dont un pique-nique géant sur les bords du lac du Salagou, les associations *Aspects* et *Revivre* portent le conflit sur le terrain économique. Pragmatique et forte de dix ans d'actions menées sur le terrain, l'association *Aspects* élabore un projet alternatif structuré autour de la création d'un centre de recherche sur les rejets des mines d'uranium[233]. Le grand projet sportif et touristique ne verra jamais le jour. Aucun projet alternatif non plus !

On retrouve dans cette affaire les mêmes caractéristiques que dans l'affaire Mondavi :

– une région en difficulté, frappée par un taux de chômage avoisinant les 20 % de la population ;

– une petite ville de 7 000 habitants dans l'arrière-pays de l'Hérault ;

– un lien fort au territoire puisqu'il s'agit de reconvertir les 400 hectares d'un site désaffecté ;

– un grand projet porté par des grands opérateurs et même un investisseur américain et milliardaire ;

– des mouvements associatifs qui prennent le leadership de la mobilisation contre le projet ;
– le relais opéré par les candidats et les partis politiques qui saisissent l'opportunité pour orienter les élections locales vers un référendum pour ou contre le projet.

Curieuse ressemblance qui pourrait laisser croire que le Languedoc est une région à part, une sorte d'antichambre de l'anti-mondialisation. D'autres affaires peuvent en effet être évoquées, comme le combat juridique que la CCI de Montpellier et la FADUC (Fédération des Associations pour la Défence des Usagers et Consommateurs du Centre ville) mènent depuis quelques années contre le projet municipal *Odysseum*, un vaste espace commercial prévoyant de regrouper plusieurs grandes enseignes comme Géant, Casino, Décathlon et Ikéa. Sous la pression des petits commerçants du centre-ville qui redoutent une telle concurrence, Gérard Borras, le président de la CCI de Montpellier, s'oppose depuis l'origine à ce projet d'envergure (67 000 m^2 au départ, puis 30 000 m^2 suite aux négociations entre les promoteurs du projet et les opposants). Malgré une autorisation délivrée en juillet 2000 par la commission départementale d'équipement commercial (CDEC) de l'Hérault, la CCI dépose une plainte auprès du tribunal administratif. Fin novembre 2004, le jugement annule l'autorisation d'ouverture, considérant que la décision de la CDEC est de « nature à provoquer l'écrasement de la petite entreprise »[234]. Cette bataille juridique freine considérablement l'avancement du projet et pourrait finir par dissuader les investisseurs comme Décathlon ou Ikéa. Les représentants de la société suédoise avouent n'avoir jamais vu ça. « En général, on nous déroule le tapis rouge partout en Europe, sauf à Montpellier »[235].

Plus pittoresque est la fronde suscitée par l'installation d'un McDonald's à Sète, l'un des bastions de la tradition culinaire

© Dunod. La photocopie non autorisée est un délit

languedocienne, qui se targuait jusque-là d'être une des rares villes de plus de 40 000 habitants sans « McDo », cultivant ainsi son image « d'île singulière » selon l'expression de Paul Valéry. Parmi les actions de protestations lors de l'inauguration du *fast food*, la plus spectaculaire a été l'organisation par le collectif « malvenue à la malbouffe » d'une macaronade géante, le plat traditionnel local. À cette occasion, les manifestants ont expérimenté une nouvelle spécialité sétoise : le lancer du pouffre [236] (poulpe dans le langage du cru). La « Mc...aronade » [237] face au McDonald's, c'est l'illustration de l'opposition fondamentale entre le terroir et la mondialisation.

Dans l'Hérault, quand le grand côtoie le petit, cela crée les conditions d'un mélange explosif. Le risque de conflit est d'autant plus fort que le projet d'investissement concerne une commune de petite taille ou qu'il met en péril les intérêts des petites entreprises (petits exploitants viticoles, petits commerces...).

LE « TOPORATISME » : LE NIMBY À LA FRANÇAISE

Ces échecs d'implantation correspondent à ce que les politologues appellent un phénomène NIMBY, *Not In My Back Yard*, littéralement « Pas dans mon jardin ». Ce phénomène d'opposition est fréquent face à certains types de projets qui occasionnent des nuisances comme, par exemple, le projet d'implantation d'une décharge publique, la construction d'une porcherie, le nouveau tracé d'une ligne de chemin de fer ou d'autoroute, la création d'un aéroport... Tous ces projets créent les conditions pour qu'un mouvement NIMBY se mette en route. Les riverains cherchent à contre-carrer le projet, car ce dernier engendre, à leurs yeux, des effets secondaires négatifs (odeurs nauséabondes, risque d'expropriation, nuisances sonores, dégradations de l'environnement immédiat...) qui se traduisent économiquement par une baisse des prix de l'immobilier.

Le phénomène du NIMBY a été maintes fois analysé. Le conflit met généralement en scène plusieurs acteurs : le promoteur du projet, les riverains, les collectivités territoriales et les médias, plus particulièrement la presse locale. Le NIMBY est un conflit de proximité, lié d'une part à la crainte de voir le cadre de vie se modifier (diminution de la qualité de vie, de la sécurité, de la valeur de ses biens immobiliers...) et d'autre part à la défense des intérêts des particuliers, même si la politique générale du projet est acceptée [238].

Comme tout phénomène, le NIMBY a pu être décrit au fil des observations et formalisé en cinq étapes :

– Au départ, une rumeur : « on » dit qu'un projet est en cours ; lorsque Tim Mondavi arrive pour la première fois à Aniane, l'anecdote du Stetson fait le tour du village en quelques minutes et va alimenter les rumeurs les plus folles. Lorsque la rumeur enfle, elle suscite un besoin légitime d'information. Les riverains cherchent à savoir ce qui se trame.

– La médiatisation : les médias entrent en scène pour répondre au besoin d'information de la population. Ce moment est crucial car il génère souvent des tensions. Les négociations dans la vie des affaires sont relativement secrètes ou du moins discrètes. Tant que rien n'est signé, il est inutile de créer des effets d'annonce. Or, en cas de rumeurs, la population veut savoir. On peut faire ici une analogie avec la communication en période de crise. Si le réflexe naturel est de se taire, les spécialistes ont montré que cette attitude est contre-productive et qu'il convenait au contraire de beaucoup communiquer. Le projet d'implantation de Mondavi a suscité plus d'une centaine d'articles, souvent au-delà de l'échelle locale.

© Dunod. La photocopie non autorisée est un délit

– L'opposition se structure et commence son activité de lobbying auprès des pouvoirs publics, de la société civile et de la presse locale. L'affrontement prend des formes diverses (manifestations, pétitions...). À Aniane, le comité de défense du massif de l'Arboussas menace les organisateurs du grand prix du *Midi Libre*, de bloquer leur course cycliste si le journal local ne publie pas leurs communiqués. À Lodève, la résistance prend la forme plus festive d'un pique-nique géant. Le rôle des associations est ici crucial.

– La négociation doit amener les différents protagonistes à trouver un terrain d'entente. Dans l'affaire Mondavi, les négociations ont eu lieu avec les écologistes et la cave coopérative locale. La stratégie de préemption de la SAFER visait à renforcer le poids de la viticulture locale dans cette phase de négociation.

– La résolution dans le meilleur des cas ou l'arrêt définitif dans le pire. Le dénouement de l'affaire se règle parfois lors des élections locales. Ce fut le cas à Aniane.

Cette séquence « initialisation, médiatisation, opposition, négociation, résolution » a été maintes fois observée. En ce sens, les affaires Mondavi et Panoz sont loin d'être des exceptions. Ce qui est plus notable dans ces deux cas, c'est que les projets suscitant l'hostilité représentaient des enjeux de développement. Il semble qu'aujourd'hui des projets économiques occasionnent un effet repoussoir dès lors qu'ils sont assimilés à la mondialisation. De plus, si le projet est porté par un investisseur étranger, de surcroît américain et milliardaire, alors on peut s'attendre à des phénomènes NIMBY amplifiés. D'où le néologisme de « toporatisme », c'est-à-dire le *corporatisme du lieu.*

L'émergence de ce corporatisme du lieu repose sur deux hypothèses complémentaires. Plus la commune est petite, plus le sentiment de possession est fort. À l'inverse, plus un projet d'investissement est grand et porté par des promoteurs étrangers à la culture locale, plus le sentiment de dépossession sera fort. Ce couple possession/dépossession fait émerger une tension qui génère un conflit de proximité. La diabolisation de la mondialisation a donc un double effet, en combattant le lointain, elle renforce le privilège du proche.

Il y a une relation directe entre la taille d'un territoire et sa capacité à accueillir les investissements étrangers, ce que nous appellerons la *réceptivité territoriale*. Le caractère « étranger » d'un investissement sera fonction de son montant et de la nature de ses promoteurs. Dans sa version française, si l'investissement est porté par un promoteur privé et non public, par une multinationale et non une PME, par un promoteur étranger et non un investisseur local, l'effet de dépossession jouera fortement. De même, la « petitesse » du territoire sera fonction de la taille de la population autochtone mais aussi du caractère monosectoriel du bassin d'emploi local et de son caractère rural. La faible densité, la faible diversité et la forte ruralité sont des facteurs de renforcement du sentiment de possession du territoire. Quand ces deux conditions sont vérifiées, nous pouvons prédire la survenance d'un conflit de proximité fort. C'est ce que constate M. Ruiz, l'ancien maire d'Aniane, lorsqu'il déclare : « Dans cette commune, il ne faut pas avoir de projets. Il faut gérer le petit quotidien pour être élu. Ce que j'ai proposé (Mondavi, entre autres) ne correspond pas à la mentalité rurale du secteur » [239]. Plus on est proche d'un lieu, plus on se sent investi de la question du développement local et plus on s'estime fondé à critiquer les projets extérieurs. On retrouve alors l'ambivalence de la proximité, celle qui relie mais aussi celle qui enferme, ambivalence parfaitement révélée par le terme anglais *close* qui renvoie tout autant à *closeness* (proximité) qu'à *closure* (clôture, fermeture).

© Dunod. La photocopie non autorisée est un délit

Nous esquissons ici les bases d'un modèle *behavioriste* des territoires face à la mondialisation, où *la notion d'attractivité du territoire* du point de vue de l'entreprise est à mettre en regard de *la notion de réceptivité des populations locales* aux investissements étrangers. Ce modèle complète les analyses traditionnelles des politiques d'investissement qui se fondent uniquement sur le paradigme rationnel de la théorie des décisions. Le choix d'implantation résulte souvent d'une analyse de choix multicritères. Notre modèle peut aider les investisseurs privés et publics à déterminer les risques potentiels de conflits de proximité dans le cadre des politiques d'investissement à l'étranger.

Ce modèle permet par exemple d'expliquer l'avantage détenu par les villes dans le cadre d'une économie mondialisée. La mondialisation est aujourd'hui largement une affaire de grandes villes. La mondialisation, ce ne sont pas les États-Unis mais principalement New York, Chicago et Los Angeles. Ce n'est pas la France mais Paris, ni l'Angleterre mais Londres, ni l'Espagne mais Barcelone... Les projets portés par les multinationales sont plus facilement mis en œuvre dans une grande ville, plus habituée à la présence de communautés étrangères. Par exemple, l'implantation d'Euro Disneyland à Marne la Vallée avait suscité les mêmes peurs, les mêmes réactions d'hostilité, les mêmes discours d'une culture française en danger face au péril américain incarné ici par Mickey. Mais la taille du marché du travail, le plus grand de France, a permis au projet d'aboutir. Nous étions à Paris et ses environs, c'est-à-dire dans un contexte où le sentiment d'appartenance est beaucoup moins fort, atténuant de ce fait le sentiment de dépossession.

Le culte du terroir peut insidieusement déboucher sur un corporatisme du lieu, que nous appelons « toporatisme », où le local n'est plus un simple lieu de production mais, pour reprendre l'expression du sociologue Maffesoli, une « communauté de destin »[240] : ce lieu qui devient lien et qui est vécu avec d'autres, qui « à la fois sécurise et permet la résistance, qui permet de perdurer, qui permet que l'on ne cède pas aux diverses impositions naturelles et sociales ». On voit bien que les déclarations des opposants au projet Mondavi mettent l'accent sur le proche et sur l'affect : « Pourquoi donner à une multinationale américaine ce qui est refusé depuis vingt-cinq ans aux vignerons locaux, qui eux, ont bâti de toutes pièces la célébrité actuelle des terroirs d'Aniane ! »[241] ; « Au lieu de faire vivre un gros poisson qui n'apporte rien au pays, je préfère que nous installions une trentaine de familles sur ces terres » ; « Nous, nous vivons ici »[242] ; « Ici, nous sommes une famille qui a l'amour du vin et qui n'a pas de capitaux extérieurs »[243]. Ces propos illustrent des effets de proxémie, définie comme une propension à privilégier ce qui est proche dans le temps et dans l'espace ; la gestion proxémique s'oppose radicalement à la gestion à distance de la firme multinationale considérée comme abstraite et lointaine : « Ces grandes sociétés du vin incarnent un paysage de domination sur un monde de clients et de soumis, qui s'oppose au merveilleux monde languedocien fait de multiples talents passionnés derrière de bonnes gueules »[244] déclare Aimé Guibert. Cette opposition est sans doute appelée à prendre de plus en plus d'importance dans les années à venir.

LE RÈGNE DE LA PROXÉMIE

Face à la mondialisation, le corporatisme contemporain s'inscrit de plus en plus dans la géographie. Le phénomène du NIMBY (*Not In My Back Yard*) tend à se généraliser. Si une large majorité de citoyens est d'accord pour créer de nouvelles décharges publiques, de nouvelles autoroutes, de nouvelles centrales nucléaires, plus personne n'en veut chez soi.

© Dunod. La photocopie non autorisée est un délit

En France, le projet de création d'un troisième aéroport parisien, malgré le caractère urgent de cette décision en raison de la saturation des deux premiers, n'a toujours pas trouvé d'issue. Chaque gouvernement reporte la décision *sine die* de peur d'affronter la colère des autochtones concernés par ce choix. Pourtant, le récent effondrement du terminal E en mai 2004 de l'aéroport CDG à Roissy a mis en évidence la nécessité de ce troisième aéroport. Le corporatisme prend donc des formes nouvelles encastrées dans les lieux qui sont l'objet de mécanisme de défense spontanée dès qu'une menace apparaît. Au nom du droit au calme, à la sérénité, au refus de la pollution ou des nuisances urbaines engendrées par le développement économique, nombreux sont ceux qui se sentent légitimés dans leurs actions, parfois violentes, pour empêcher un projet d'intérêt général de voir le jour. Il faut dire que les néo-ruraux payent parfois très cher leurs villas destinées à fuir la grande ville pourvoyeuse d'emploi durant la semaine et à s'assurer le bien-être du repos dominical en pleine campagne. Notre néologisme de « toporatisme » illustre cette spatialisation des phénomènes de défense des intérêts particuliers au détriment de l'intérêt général.

La mondialisation de l'économie a considérablement désenchanté le citoyen qui se montre de plus en plus abstentionniste lors des élections nationales. À l'inverse, plus le pouvoir élu est proche de soi, plus les suffrages exprimés augmentent. Plus les enjeux de démocratie sont proches de la vie quotidienne du citoyen et plus ce dernier daigne se déplacer jusqu'à l'isoloir pour exprimer son avis. La démocratie de proximité semble avoir de beaux jours devant elle. Mais lorsque la proxémie se substitue à l'idéologie, il y a de moins en moins de place pour de grands projets collectifs. Un homme politique occupant l'une des plus hautes fonctions du pays déclarait récemment lors d'un congrès que le citoyen veut qu'on lui parle de lui et de ses problèmes quotidiens. Le culte de la proximité devient alors le fil directeur des politiques actuelles, toutes tendances confondues. On parle d'une justice de proximité, d'une police de proximité, de fonds d'investissement de proximité... Les services de proximité sont également à l'honneur. Mais la proximité est une notion ambivalente, nous l'avons vu : rapprochement mais aussi fermeture.

LA MONDIALISATION ET LE TERROIR : LE CAS DE LA RECHERCHE SCIENTIFIQUE

L'opposition entre la logique de terroir et la logique de la mondialisation n'est pas propre au secteur viticole. Pour le moins, on peut étendre cette opposition à tout le secteur de l'agroalimentaire. C'est par exemple la thèse défendue par Gilles Fumey selon lequel « l'usage industriel d'innovations comme l'appertisation, la boite en fer blanc, le froid (la réfrigération) et l'hyper-froid (la congélation) pousse les Américains à ne pas percevoir le lien entre un terroir et la table domestique et à faire du repas une simple consommation de nutriments ». Or, la France en particulier et l'Europe en général établissent un lien entre la qualité et l'origine. Ce lien « donne du sens et des repères à nos repas où, sur la table, le vin de Bordeaux, la potée d'Auvergne ou le timballo sicilien nous donnent la sensation non pas d'être le client d'un industriel mais d'être nourri par les lieux de nos racines »[245].

Mais on peut élargir davantage la portée de cette opposition, si l'on en juge par le débat récent initié par Michel Berry au sujet de l'avenir de la recherche en management et des écoles de commerce françaises. Michel Berry est directeur de recherche au CNRS et fondateur de l'École de Paris du Management. Dans une tribune publiée dans *Le Monde*, ce dernier fustige la tendance actuelle des écoles de commerce françaises à s'aligner

© Dunod. La photocopie non autorisée est un délit

sur les standards américains en matière de recherche, notamment en hiérarchisant les revues où les enseignants sont invités à publier. Cette hiérarchisation, que l'on appelle le *ranking*, consiste à affecter une note à chaque revue. En général, les revues se classent du niveau A (niveau d'excellence internationale) jusqu'aux niveaux D ou E pour les revues à lectorat limité ou à notoriété restreinte. Or, ce classement a pour effet systématique de dévaluer les revues françaises au profit des revues anglo-saxonnes dont le lectorat est plus vaste en raison du caractère véhiculaire de l'anglais.

« Voilà alors un scénario catastrophe. En dévalorisant les revues de "terroir", on dévalorise par contrecoup les traditions dont elles sont les vecteurs. Progressivement, ces recherches n'attirent plus les jeunes talents, les anciens se démotivent, les exigences se relâchent et la production se délite. À quoi bon faire des recherches en France si on est ambitieux ? Cette menace pèse d'ailleurs dans tous les pays européens, où la tendance va à la soumission aux standards américains »[246].

Michel Berry dénonce cette tendance qui conduit les écoles de commerce à faire « passer au second plan les questions de contenu » et à « se placer dans la posture du colonisé ». La production de la pensée se nourrit de contextes particuliers. « Chaque contexte est donc plus ou moins favorable à un type particulier de recherche. Encore faut-il qu'un haut niveau d'exigence soit cultivé localement. Une revue exigeante, en phase avec une tradition, est souvent un moyen essentiel d'émergence d'une pensée ».[247] C'est la raison pour laquelle Berry opère une distinction entre « la pensée d'aéroport et la pensée de terroir » : « La pensée d'aéroport s'exprime dans une langue que l'on appelle, par protection, "l'américain" alors que c'est souvent une langue assez pauvre en mots. Cette pensée supposée valable partout, et de ce fait souvent dénuée d'originalité, est largement consommée par les managers et les professeurs de management qui prennent souvent l'avion pour aller faire leurs affaires ou donner leurs cours aux quatre coins du monde. La pensée de terroir, comme un bon vin, est celle qui se développe dans certains endroits où des conditions particulières sont réunies pour favoriser la singularité et où elle est soumise à des normes de qualités locales, mais exigeantes »[248].

Curieusement, on retrouve dans le domaine de la recherche en gestion, les mêmes rouages qui président à la mondialisation du vin : le *ranking* des revues s'apparente à la « parkerisation » du vin, l'harmonisation des diplômes comme le MBA ou le Master rappelle la standardisation des produits, la domination des universités américaines et la montée en flèche des universités australiennes illustrent la force des *pays du nouveau monde* et la distinction de Michel Berry entre « pensée d'aéroport » et « pensée de terroir » ressemble à s'y méprendre au clivage d'Aimé Guibert entre les « vins industriels » et les « vins de terroir ».

On retrouve également cette même tendance à la diabolisation de la mondialisation qui fait dire à Berry que « les chercheurs anglo-saxons reconnaissent que leurs articles sont souvent ennuyeux » ou bien que l'anglais est une langue « pauvre ». Faut-il voir dans ce discours une nouvelle preuve du penchant corporatiste français ? Michel Berry est aussi ingénieur général des Mines et dirige depuis plusieurs années la revue de management *Gérer et Comprendre* des Annales des Mines. À travers sa diatribe, l'auteur défend implicitement le corps des ingénieurs français dont le modèle ethnocentrique est de plus en plus remis en cause par la mondialisation. Au nom des traditions et de la diversité culturelle, on légitime aussi la pérennité d'un système qui confère aux

© Dunod. La photocopie non autorisée est un délit

grandes écoles les places de premier choix. Le lobby des grandes écoles est encore puissant en France et repose sur un système élitiste dont le socle des classes préparatoires est souvent incompréhensible aux yeux des étrangers et en grande partie inadapté. On en prendra pour preuve le retentissant « classement de Shanghai »[249] qui a récemment défrayé la chronique. Ce classement, réalisé en 2003, situe le premier établissement supérieur français (Paris 6) à la 65e place, très loin derrière les universités américaines. La première grande école, l'École Normale Supérieure, se classe à la 102e position. Selon François Orivel, ce classement met en évidence le dualisme français université/grandes écoles qui « constitue un obstacle monstrueux ». « D'où sortent nos élites ? Des grandes écoles ! Soit des cadres où elles n'ont jamais été confrontées aux travaux de recherche. Et comme les élites issues de grandes écoles recrutent des gens qui eux-mêmes sortent de ces écoles, le système se perpétue... »[250]. La « pensée de terroir » ne risque-t-elle pas d'engendrer des « managers de terroir » au moment crucial où il faut former des entrepreneurs du monde ?

De même, que devons-nous penser de l'émiettement spatial des sites universitaires français ? Paris à elle seule se décline en 13 universités, la région Rhône-Alpes en dénombre une dizaine. Des villes moyennes comme Grenoble, Lille, Montpellier, Strasbourg comptent trois universités différentes. On en compte même quatre à Bordeaux. L'Université française se subdivise au total en 86 universités sans compter les nombreuses Grandes Ecoles. Du coup, aucun établissement d'enseignement supérieur ne jouit véritablement d'une aura internationale du fait d'une insuffisante taille critique. Imagine-t-on l'université de Berlin VIII ou celle de Londres XII ? Si l'on reprend les critères du classement de Shanghai, le « plateau de Saclay » au sud de Paris qui regroupe 21 établissements de recherche et d'enseignement supérieur (Polytechnique, Supélec, HEC, Orsay...) pourrait rapidement trouver une stature internationale avec ses quatre prix Nobel et ses sept médailles Fields issus des laboratoires locaux. De même, une ville moyenne comme Montpellier retrouverait certainement son rayonnement d'antan en regroupant ses trois universités. Mais là encore, il faudrait renoncer à la logique de « fief » ou de « pré carré » et mettre en place de nouvelles gouvernances pour apprendre à gérer un territoire commun. L'émiettement spatial de l'Université française favorise le corporatisme du lieu où les responsables sont parfois davantage préoccupés par les faux problèmes de rivalités locales que par les vrais problèmes de concurrence internationale. Le toporatisme est un phénomène général à la société française et on peut en trouver tous les jours des illustrations dans l'épineux problème de la réorganisation spatiale des services publics (hôpitaux, écoles, postes...) et les créations spontanées de comités de défense qui résultent des décisions de regroupement. C'est cette tendance au confinement spatial qui génère, selon nous des replis identitaires de type corporatiste et par voie de conséquence une incompréhension, voire une peur de la mondialisation.

LES EXCÈS DE L'ALTERMONDIALISATION

Si la thèse de la marchandisation du monde repose sur des fondements indéniables, elle peut à son tour devenir excessive et contre-productive. Mondavi n'est pas McDonald's, ni Monsanto, ni Microsoft. Ce n'est pas une firme multinationale désincarnée et déshumanisée mais une entreprise gérée et contrôlée par une famille. Utiliser des méthodes modernes de marketing et faire de l'innovation l'axe principal de la stratégie, comme le fait très opportunément la famille Mondavi dans le secteur du vin, ne fait pas pour autant de cette entreprise une entité compa-

© Dunod. La photocopie non autorisée est un délit

rable aux géants de la mondialisation.

La thèse de la Macdonaldisation et l'idéologie montante de l'altermondialisme deviennent également excessives lorsqu'elles diabolisent systématiquement l'entreprise et le marché. Que devons-nous raisonnablement penser des propos de Ritzer lorsqu'il dit qu'il a « de solides raisons de penser que l'Holocauste est le modèle précurseur de la Macdonaldisation » ? Faire l'amalgame entre le plus effroyable processus de destruction humaine de tous les temps et un réseau de restaurants franchisés procède d'une extrapolation démesurée [251]. Ritzer aurait-il oublié qu'une entreprise ne se définit pas uniquement par son type d'organisation mais aussi et surtout par sa finalité ! On retrouve cette même veine dans une déclaration de Jonathan Nossiter, réalisateur du film Mondovino : « Dès l'instant où l'on dit être tous d'accord sur la manière d'éliminer les défauts, que l'on parle du vin ou d'un être humain, on sombre dans le fascisme »[252]. Le nouveau slogan de la mouvance altermondialiste serait-il « Mondialisation = Fascisme », qui dénonce la dictature des « épiciers-rois » [253] et le « fascisme des marques » [254] ?

En rejetant tout en termes excessifs, on ne discerne plus rien. Analyser les excès du marché est salutaire. Comme le souligne le prix Nobel d'économie Robert Solow, « la recherche théorique contemporaine s'attache à élaborer les conséquences des marchés incomplets, de la concurrence imparfaite, de la rationalité limitée, des prix rigides, des asymétries d'information, des objectifs non conventionnels et des comportements en déséquilibres. C'est dans ces domaines que les avancées procurent la renommée scientifique » [255]. Un grand nombre de prix Nobel d'économie ont précisément obtenu leur bâton de maréchal en mettant en évidence les imperfections du marché (*market failures*)... Mais dénoncer les excès par la polémique, la diabolisation et l'amalgame n'est certainement pas rendre service à l'intelligence du problème. À trop diaboliser, on finit par diviniser. La mondialisation n'est ni honteuse, ni heureuse ; ce n'est ni une horreur économique ni un bonheur social, elle est un fait de société, certes d'envergure, mais rien de plus qu'un fait qu'il convient d'analyser en profondeur et dans toutes ses dimensions.

La diabolisation de « la » multinationale use d'un procédé de simplification qui contrevient à la diversité des stratégies d'internationalisation.

Mondavi est certes une entreprise de grande taille pour son secteur (environ un millier d'employés) mais ceci n'est rien comparé aux centaines de milliers de salariés des constructeurs automobiles. Mondavi est même un lilliputien face au million d'employés de *Wall Mart*, la plus grande chaîne de distribution des États-Unis. Mondavi correspond en fait à ce qu'Yvon Gattaz, ancien patron des patrons au CNPF, aujourd'hui président de l'ASMEP (Association Syndicale des Moyennes Entreprises Patrimoniales), appelle les Moyennes Entreprises Patrimoniales. Comme toute entreprise familiale, le groupe Mondavi n'échappe pas aux problèmes de mésentente des membres de la famille. Depuis quelques années, de nombreuses dissensions divisent les trois enfants de Robert Mondavi. Les oppositions entre Michael le *marketer* et Tim l'œnologue ont donné lieu à de nombreux conflits. Le dernier d'entre eux s'avèrera fatal. En effet, après avoir envisagé de réorienter son portefeuille de marques dans le segment des premiums et super premiums, le groupe a envisagé de se séparer de ses plus beaux fleurons dont le prestigieux *Opus One*. Cette annonce en septembre 2004 a fait l'effet d'une bombe et a suscité l'incompréhension de nombreux spécialistes du secteur. Ces conflits familiaux ont fragilisé l'entreprise à tel point que le groupe *Constellation Brands* a lancé une OPA hostile

© Dunod. La photocopie non autorisée est un délit

en octobre… et a réussi à prendre le contrôle de l'entreprise pour 1,3 milliard de dollars. À ce jour, Mondavi n'est plus. L'entreprise n'est plus qu'une composante parmi d'autres au sein d'un groupe dont les domaines d'activité ne se limitent pas aux vins mais englobent aussi les spiritueux.

La guerre des vins se poursuit inexorablement…

ÉPILOGUE

ET VOUS POUR QUI AURIEZ-VOUS VOTÉ ?

Maintenant que vous venez de lire ce livre, imaginons que vous soyez, comme les habitants d'Aniane, amené à vous exprimer sur ce projet d'investissement. Pour qui auriez-vous voté ? Auriez-vous été pour ou contre Mondavi ?

Vous avez ici l'occasion de pouvoir voter en choisissant un bulletin à la page suivante et surtout de vous exprimer en adressant vos commentaires à l'auteur. N'hésitez pas. Votre vote et vos commentaires seront utiles pour une prochaine édition de l'ouvrage.

Retournez votre bulletin à :

Olivier Torrès,
Université Montpellier III,
Route de Mende,
34 199 Montpellier - France

OUI À MONDAVI	**NON À MONDAVI**
Commentaires :	Commentaires :
....	....
....	....
....	....
....	....
....	....
....	....
....	....
....	....
Facultatif	**Facultatif**
Nom :	Nom :
Profession :	Profession :
Adresse (e-mail de préférence) :	Adresse (e-mail de préférence) :

CHRONOLOGIE DE L'AFFAIRE MONDAVI

1997 : Depuis deux ans, les achats américains de vins languedociens sont en constante augmentation en raison de la crise de phylloxera qui s'abat sur le vignoble californien. Mondavi se fait un nom dans la presse locale en raison de l'intensité de ses relations commerciales avec le négociant héraultais Jeanjean. C'est l'apparition de Mondavi sur la scène viticole languedocienne.

Février 1998 : « *Vichon Mediterranean* », filiale commerciale française de Mondavi s'installe à Montpellier et envisage d'acquérir des vignobles afin de mieux ancrer sa gamme et d'augmenter ses achats de vins languedociens. Le responsable est David Pearson.

Mars 1998 : Mondavi dévoile son projet d'investissement : 180 millions de francs pour développer sa marque « *Vichon Mediterranean* » composée à 100 % de vins de cépages languedociens, et qui comprend : La construction d'un centre de vinification et l'achat de vignobles pour créer un vin haut de gamme.

20 novembre 1998 : Visite de Tim Mondavi, l'un des deux fils de Robert Mondavi, en Languedoc et rencontre avec Georges Frêche, maire de Montpellier.

Octobre 1999 : Georges Frêche est en mission d'affaires en Californie et rend visite à Mondavi dans la Napa Valley (domaine de Mondavi).

Novembre 1999 : Mondavi annonce qu'il est à la recherche de 20 à 50 hectares de terroir de qualité sur une zone allant de l'Aude au Gard.

Janvier 2000 : Le cabinet Cinétique est sollicité par le Conseil Général de l'Hérault pour réaliser une étude comparative des politiques des caves coopératives et des caves particulières de la région « piémont de Seranne ».

Mars 2000 : L'étude « piémont de Seranne » est rendue au Conseil Général.

Avril 2000 : Mondavi choisit Aniane pour son installation. Le groupe présente son projet devant le Conseil municipal : 22 millions de francs pour la création d'un vignoble de 50 hectares sur le massif de l'Arboussas. Mondavi insiste sur le respect du site et fait donc appel à une société de paysagistes et aux écologistes de l'Euzières. Il compte créer des parcelles de 5 hectares par vignoble dans le but de protéger les diversités animales. 33 millions de francs seront investis pour la création d'un chai de très haute technicité, dont la capacité serait de 300 000 bouteilles par an. Il abandonne l'idée d'une *winery.*

Les terrains du massif d'Arboussas sont la propriété de la commune et seraient cédés par bail emphytéotique (99 ans). Mondavi est aussi à la recherche de terrains privés pour installer ses bâtiments.

Avril 2000 : Aimé Guibert, propriétaire du domaine Daumas Gassac, sollicite André Ruiz, le maire d'Aniane, pour qu'il lui cède ou lui loue certains terrains boisés du massif de l'Arboussas, visé aussi par Mondavi.

5 mai 2000 : Création de l'association de défense du massif de l'Arboussas. Elle a pour objet l'opposition au projet Mondavi et toute installation sur le massif.

Mai 2000 : À la demande du milieu viticole d'Aniane, la SAFER veut préempter les terres privées visées par Mondavi (25 hectares). Le président Guy Riva se dit pourtant séduit par le projet. La SAFER a jusqu'au 22 mai pour retirer sa demande.

Mai 2000 : Aimé Guibert assigne devant le tribunal de grande instance (TGI) de Montpellier le président du Conseil général, André Vézinhet, et le maire d'Aniane, André Ruiz, pour violation du code forestier et violation du code de l'urbanisme. Selon lui, les travaux de défrichement pour permettre l'implantation de Mondavi auraient déjà commencé.

30 mai 2000 : la cave coopérative pourrait obtenir une réserve foncière sur le massif sans pour autant bloquer le projet de Mondavi. Elle souhaite un délai supplémentaire pour négocier avec Mondavi. Le maire lui accorde un délai de 3 mois maximum pour se décider.

Juin 2000 : Aimé Guibert est condamné à payer des indemnités à André Vézinhet et à André Ruiz. Le TGI l'a débouté pour action abusive. La SAFER préempte les 25 hectares de terrains privés visés par Mondavi pour la construction du mas et de la cave. Le groupe se trouve désormais en concurrence avec des exploitants locaux.

Juillet 2000 : Le conseil d'administration de la cave coopérative approuve le projet proposé par Mondavi : faire produire un grand vin par la cave. Mondavi participera sous forme de prêts aux investissements que doit faire la cave coopérative (4 millions de francs). Le vin sera ensuite vendu sous la marque Arianna détenue à 50 % par Mondavi et à 50 % par la cave.

25 juillet 2000 : Réunion du Conseil municipal pour se prononcer sur un premier défrichement. Le projet prévoit de défricher 50 hectares pour Mondavi et 25 hectares pour les viticulteurs

© Dunod. La photocopie non autorisée est un délit

locaux sur le massif de l'Arboussas. Le Conseil municipal donne son accord au projet d'implantation et signe la convention autorisant les 50 hectares de défriche. Il manque pour la concrétisation du projet l'avis favorable de la DDAF, et la signature du ministre de l'agriculture de l'époque, le socialiste Jean Glavany.

De juillet 2000 à mars 2001 : Cette période est marquée par la campagne électorale des municipales et cantonales de 2001.

18 mars 2001 : André Ruiz, le maire socialiste sortant, est battu aux élections municipales et cantonales par Manuel Diaz, membre du parti communiste et farouche opposant au projet Mondavi.

Fin mars 2001 : Le nouveau Conseil municipal demande à la préfecture et au ministère de l'agriculture de suspendre la délibération de l'ancien conseil municipal autorisant le défrichement du massif de l'Arboussas. Le conseil municipal se réunit et vote contre l'installation du géant américain à Aniane. Le projet est remis en question.

Avril 2001 : Les premiers travaux de défrichement prévus sont pour l'instant stoppés.

17 mai 2001 : Un entretien est prévu entre David Pearson et Manuel Diaz, mais le groupe Mondavi comprend que ses chances d'implantation sont perdues. Le 15 mai 2001, un communiqué de presse annonce le retrait du groupe du territoire d'Aniane « en raison des barrières administratives, légales et politiques » intervenues par ce changement de politique locale.

Septembre 2001 : Mondavi fait savoir qu'il se retire définitivement de la région. Il cède sa branche de négoces de vins de cépages régionaux « *Vichon Mediterranean* » à la cave coopérative Sieur d'Arques de Limoux.

REMERCIEMENTS

Que Pascale Blandin trouve ici la marque de notre reconnaissance et, nous l'espérons, la satisfaction d'avoir été la première à fournir la stimulation nécessaire à la rédaction d'un ouvrage.

Dorothée Yaouanc nous a épaulé tout au long de la rédaction de cet ouvrage. Son mémoire de DEA, remarquable à bien des égards, nous a fourni une matière première de premier choix. Bien des aspects de cette affaire nous avait échappé. Sa collaboration a été précieuse et appréciée.

Nos remerciements s'adressent aussi à tous ceux qui nous ont donné l'occasion de présenter cette affaire en public : tout d'abord, Loïc Mahérault, Benoît Heilbrunn et Céline Pugieu, lors du Symposium critique de la performance à l'EM Lyon, puis Françoise Cocuelle, Sylvain Breuzard et Hervé de Ruggiero du Centre des Jeunes Dirigeants (CJD) lors de leur Congrès National à Poitiers. L'engouement suscité par cette conférence devant un public de cinq cents chefs d'entreprise a été décisif dans notre décision d'écrire l'ouvrage. Que ces "JD" en soient remerciés, tout particulièrement les sections de Nancy, Metz et Vannes, notamment Laurent Sanchez qui a complété notre documentation ainsi que la section de Montpellier et son président et ami Rudy Iovino.

Nous pensons aussi à certains collègues enseignants et chercheurs de l'Université Paul Valéry comme Adda Benslimane,

Geneviève Duché, Gael Gueguen, Catherine Peyroux et Frédéric Planché ainsi que ceux de l'ERFI et en particulier Colette Fourcade, Frédéric Le Roy, Stéphanie Loup, Michel Marchesnay, Sylvie Sammut, Said Yami et notamment Jean-Marie Courrent qui nous a mis en contact avec les Éditions Dunod. Nous tenons également à remercier les professeurs d'EM Lyon et tout particulièrement Rodolphe Durand, Aurélien Eminet, Paul Leonetti, Philippe Monin, Ricky Moore, Robert Salle, ainsi que Dominique Dupont, Emilie Rousseau et Franck Teillet de l'infomédiathèque qui ont été un support logistique décisif pour l'accès à l'information. Notre collègue Thierry Verstraete a également commenté une partie de notre travail. De même, Philippe Secondy nous a fourni plusieurs pistes de réflexion qui se sont toutes avérées fructueuses. L'œnologue Franck Dubourdieu, spécialiste du vignoble bordelais, a enfin été un lecteur très attentif de nos premières publications et la Compagnie de la Côte du Rhône gardoise nous a sensibilisé aux subtilités du vin lors de son chapitre solennel du 4 décembre 2004.

Nous tenons également à remercier très chaleureusement Marie-Laure Cahier des éditions Dunod, pour avoir soutenu ce projet dès la première seconde et supervisé sa réalisation jusqu'à la dernière, ainsi que Mme Cadillac de la librairie Sauramps pour son écoute et ses conseils.

Nous n'oublierons pas les plus proches, notre famille et tout particulièrement Nathalie qui a été d'un constant soutien dans la rédaction de cet ouvrage. De même, nos amis du “43” dont les débats passionnés ont alimenté certaines réflexions et stimulé la rédaction de ce livre.

Merci enfin à tous les étudiants du mastère en « Management International des PME et des Territoires ». L'esprit de ce mastère que nous avons créé en 2000 est au cœur de cet ouvrage.

NOTES

1 Chevallier G., *Clochemerle*, Éditions Rieder, 1934, 434 p.
2 Forrester V., *L'Horreur économique*, Fayard, 1996, 215 p.
3 Stiglitz J.E., *La Grande Désillusion*, Fayard, 2002, 324 p.
4 Klein N., *No Logo : la tyrannie des marques*, Actes Sud, 2001, 576 p.
5 Rifkin J., *L'Âge de l'accès : la révolution de la nouvelle économie*, La Découverte, 2000, 396 p.
6 Gautier J.F., *La Civilisation du vin*, Presses Universitaires de France, 1997, p. 116.
7 Kuisel R. F., « Coca-Cola au pays des buveurs de vin », *L'Histoire*, n° 94, novembre 1986, p. 24-28.
8 Revel J.-F., *L'Obsession anti-américaine*, Pocket, 2003.
9 Dufourcq C., « Coca Cola Wine à Aniane », *La Marseillaise*, 13 juillet 2000.
10 Bernard C., « Peppone contre la World Company », *La Tribune*, 11 juillet 2001.
11 Ritzer G., *The Macdonaldization of Society*, New Century Edition, Pine Forge Press, 2000, 278 p.
12 Ritzer G., *op.cit.*
13 Jary D., « The McDonaldization of Sport and Leisure », p.116-134 in Smart B. (ed), *Resisting McDonaldization*, Sage publications, 1999, 261 p.
14 Bryman A., « Theme parks and McDonaldization », p. 101-115 dans Smart B. (ed), *Resisting McDonaldization*, Sage publications, 1999, 261 p.
15 Rifkin J., *op. cit.*
16 *Libération* titrait en première page le 21 juillet 2004, « Vin, la France trinque ».
17 On retrouve cette même logique en Italie avec ses DOC (*Denominazione di Origine Controllata*) qui représentent 10 à 12% de sa production nationale. L'Italie est « le seul pays au monde où le vin est produit sur l'ensemble du territoire, où l'on recense près de 2000 types de vin. » (Gautier J.F., *La Civilisation du vin* , Presses Universitaires de France, 1997, p. 39).
18 Dubourdieu F., *Les Bons Bordeaux – 1500 crus abordables*, Mollat/Balland, 2003, p. 174.

19 Gautier J.F., *op. cit.*, p. 115-116.
20 Guibert A., « Appel à Jacques Blanc, Président Région Languedoc-Roussillon, à René Renou, Président de l'INAO et Hervé Gaymard, Ministre de l'Agriculture », *Revue du Vin de France*, avril 2003.
21 www.forbes.com
22 « Le californien Mondavi va s'installer en Languedoc », *Les Echos*, 10 juin 1999.
23 Pellegrini Angelo M., *Americans by choice*, cité par Ray C., *Robert Mondavi of the Napa Valley*, Heinemann/ Peter Davies, London, 1984, 170 p.
24 Ray C., *Robert Mondavi of the Napa Valley*, Heinemann/Peter Davies, London, 1984, p. 49-55.
25 1 gallon (US) = 3,785 litres.
26 Marge est la première femme de Robert Mondavi et la mère de ses trois enfants. Il divorce et épouse ensuite Margrit le 17 mai 1980.
27 Mondavi R., *Harvests of Joy*, Harcourt Brace & Company, 1998, p. 16.
28 Miller G., « Mondavi Winery », *Harvard Business School*, Case 9-104-056, janvier 2004, p. 3.
29 Flynn J., « Grapes of Wrath : inside a Napa Valley empire, a family struggles with itself », *The Wall Street Journal*, 3 juin 2004.
30 Urban T. N. and Goldberg R. A., « Robert Mondavi Corporation », *Harvard Business School*, Case 9-596-031, 1995 , 29 p.
31 Wesley D. T. A., « Robert Mondavi Corporation : Caliterra », *Richard Ivey School of Business*, Case 9A99C004, 1999, p. 22.
32 www.california-wine. org
33 Porter M. E. and Bond G. C., « The California Wine Cluster », *Harvard Business School*, Case 9-799-124, 2004, p. 2.
34 www.california-wine. org
35 Forestier N., « Vins : l'explosion américaine », *Le Figaro Économie*, jeudi 18 novembre 1999.
36 Picq T., « La Silicon Valley : The Magnetic Force », *Management & Conjoncture sociale*, 2003, p.13-16.
37 Porter M. E., « Les districts et les choix d'implantation », *L'Expansion Management Review*, juin 1999, p. 13-22.
38 Porter M. E. and Bond G. C., « The California Wine Cluster », *Harvard Business School*, Case 9-799-124, 2004, p. 2.
39 Baudry P.R., *Français Américains, l'autre rive*, Village Mondial, 2003.
40 « Les minorités aux Etats-Unis », *Le Nouvel Observateur*, juillet-août 1998.
41 Forestier N., « Vins : l'explosion américaine », *Le Figaro Économie*, jeudi 18 novembre 1999.
42 Ray C., *Robert Mondavi of the Napa Valley*, Heinemann/Peter Davies, London, 1984, 170 p.
43 Mondavi R., *Harvests of Joy*, Harcourt Brace & Company, 1998, p. 185.

44 Forestier N., *op cit.*
45 Forestier N., *op cit.*
46 Ray C., *op. cit.*, p. 113.
47 Ray C., *op. cit.*, p. 112-123.
48 Wesley D.T.A., « Robert Mondavi Corporation : Caliterra (A) », *Richard Ivey School of Business*, Case 9A99C004, 1999, p. 3
49 Mondavi R., *op. cit.*, p. 219.
50 Ray C., *op. cit.*, p. 122.
51 L'acre US équivaut à environ 0,4 ha
52 Mondavi R., *op. cit.*, p. 314.
53 Bond G. C and Porter M. E., « Robert Mondavi: Competitive Strategy », *Harvard Business School*, Case 9-799-125, June 16, 2000, p. 8.
54 Mondavi R., *op. cit.*, p. 336.
55 Piaget M. et Baumann C., *La Chute de l'empire Andersen*, Dunod, 2003, 274 p.
56 Mondavi R., *op. cit.*, p. 276-277.
57 Mondavi R., *op. cit.*, p. 280.
58 Miller G. S and Doyle T., « Mondavi Winery », *Harvard Business School*, Case 9-104-056, January 8, 2004, 11p.
59 Mondavi R., *op. cit.*, p. 291.
60 Flynn J., « Grapes of wrath : inside a Napa Valley Empire, a family struggles with itself », *The Wall Street Journal*, 3 juin 2004.
61 Flynn J., *op. cit.*
62 www.vitisphere.com/article-49872.htm
63 Rouzet E. et Séguin G., *Le Marketing du vin – Savoir vendre le vin*, Dunod, 2003.
64 Roberto M. A., « Robert Mondavi & the wine industry », *Harvard Business School*, Case 9-302-102, May 3, 2002, p. 26.
65 Arnold D., Stevenson H. and de Royere A., « Montgras – Export strategy for a Chilean Winery », *Harvard Business School*, Case 9-503-044, November 1, 2002, p. 17.
66 Rouzet E. et Séguin G., *Le Marketing du vin – Savoir vendre le vin*, Dunod, 2003, p. 50.
67 Bond G. C and Porter M. E., « Robert Mondavi : Competitive Strategy », *op. cit.*
68 Roberto M. A., « Robert Mondavi & The Wine Industry », *Harvard Business School*, Case 9-302-102, 2002, p. 26.
69 Roberto M. A., *op. cit.*
70 Mondavi R., *Harvests of Joy*, Harcourt Brace & Company, 1998, p. 16.
71 Mondavi R., *op. cit.*, p. 12.
72 www.coteaux-languedoc.com
73 www.coteaux-languedoc.com

© Dunod. La photocopie non autorisée est un délit

74 Dupont J., « Languedoc-Roussillon : l'ascension des terroirs », *Le Point*, 19 mai 2000.

75 Dupont J., *op. cit.*

76 Gautier J.F., *La Civilisation du vin*, Presses Universitaires de France, 1997, p. 114.

77 Martin P., « Viticulture du Languedoc : une tradition syndicale en mouvement », *Pôle Sud*, n° 9, novembre 1998, p. 81-82.

78 Gilbert Y., *Le Languedoc et ses images – entre terroir et territoire*, Editions l'Harmattan, 1989, p. 17.

79 Technique imaginée par le chimiste français Chaptal et qui consiste à sucrer le moût pour augmenter la teneur des vins en alcool.

80 Mann P., « Crises de surproduction et mobilisations cognitives dans le Midi viticole », *Pôle Sud*, n° 9, novembre 1998, p. 52-53.

81 Laporte J.P. et Touzard J.M., « Deux décennies de transition viticole en Languedoc-Roussillon : de la production de masse à une viticulture plurielle », *Pôle Sud*, n° 9, novembre 1998, p. 26-47.

82 Dedieu O., « Raoul Bayou, député du vin », *Pôle Sud*, n° 9, novembre 1998, p. 88-110.

83 Ecoiffier M., « Un rapport qui pousse le bouchon un peu loin », *Libération*, 22 juillet 2004.

84 Laporte J.P. et Touzard J.M. , *op. cit*, p. 30.

85 Gilbert Y., *op. cit.*, p. 34-35.

86 Gilbert Y., *op. cit.*, p. 19.

87 Dupont J., « Languedoc-Roussillon : l'ascension des terroirs », *Le Point*, 19 mai 2000.

88 Gilbert Y., *op. cit.*, p. 19.

89 Nous reprenons ici le titre du n° 9 de la revue *Pôle Sud*, contribution remarquable pour comprendre les évolutions récentes du vignoble languedocien.

90 Dupont J., *op. cit.*

91 Coignard J., « En Languedoc, le raisin trouve sa Californie », *Libération*, 5 avril 1999.

92 « Tim Mondavi : nous voulons rétablir l'image des vins du Languedoc », *La Revue du Vin de France*, octobre 2000.

93 Genieys W., « Le retournement du Midi viticole », *Pôle Sud*, n° 9, novembre 1998, p. 7-25.

94 Dupont J., *op. cit.*

95 Dupont J., *op. cit.*

96 Martin P., « Viticulture du Languedoc : une tradition syndicale en mouvement », *Pôle Sud*, n° 9, novembre 1998, p. 71-87.

97 Gautier J.F., *La Civilisation du vin*, Presses Universitaires de France, 1997, p. 58.

98 www.ville-aniane.com

99 Goutorbe C., « Aimé Guibert de la Vaissière : “je suis un cul-terreux” », *Terre de vins,* décembre 1999.

100 Guibert A., « Daumas Gassac – Vendanges 2001 », *La Revue du Vin de France,* novembre 2001.

101 Goutorbe C., *op. cit.*

102 Bromberger L., « Aimé Guibert, propriétaire et fondateur du Daumas Gassac », www.aveyron.com

103 Marcillaud L. et Rivière P., *Grands Vins du Languedoc-Roussillon 1998,* Editions Climats, 1997.

104 « La grande signature d'Aniane », *Le Progrès,* 8 avril 2004.

105 Nappez P., « Faut-il avoir peur ou pas de l'américain Mondavi ? », *Midi Libre,* 6 juin 2000.

106 Guibert A., *La Revue du Vin de France,* avril 2000, p. 11.

107 Bromberger L., « Aimé Guibert, propriétaire et fondateur du Daumas Gassac », www.aveyron.com

108 Goutorbe C., « Aimé Guibert de la Vaissière, “je suis un cul-terreux” », *Terre de Vins,* décembre 1999.

109 Bromberger L., *op. cit.*

110 Bromberger L., *op. cit.*

111 « L'INAO est le garant de l'appellation d'origine contrôlée. À cet effet, l'INAO assure notamment la défense des appellations d'origine tant en France qu'à l'étranger, en intentant au besoin une action en justice pour cette défense » (Gautier J.F., *La Civilisation du vin* , Presses Universitaires de France, 1997, p. 123).

112 Dupont J., « Languedoc-Roussillon : l'ascension des terroirs », *Le Point,* 19 mai 2000.

113 Véronique et Aimé Guibert, communiqué publicitaire dans *La Revue du Vin de France,* juin 2001.

114 Emile Peynaud, célèbre œnologue bordelais, auteur entre autres du *Goût du vin,* Dunod, 1996. E. Peynaud étant décédé en juillet 2004, Aimé Guibert lui rend hommage dans *L'Amateur de Bordeaux,* octobre 2004.

115 Goutorbe C., *op. cit.,* p. 37.

116 Goutorbe C., *op. cit.*

117 Marcillaud L. et Rivière P., *Grands Vins du Languedoc-Roussillon 1998,* Editions Climats, 1997.

118 L'assimilation des Mondavi à McDonald's est clairement explicitée par Aimé Guibert dans un article de *Business Week* : « Les Mondavi vont détruire nos artisans traditionnels qui produisent du vin, à la manière de McDonald's qui est en train de détruire la gastronomie française » (source : Echikson W., « How Mondavi's French Venture Went Sour », *Business Week,* 3 septembre 2001.

© Dunod. La photocopie non autorisée est un délit

119 Véronique et Aimé Guibert, communiqué publicitaire dans *La Revue du Vin de France*, juin 2001
120 Marcillaud L. et Rivière P., *Grands Vins du Languedoc-Roussillon 1998*, Editions Climats, 1997.
121 Echikson W. *and al.*, « Wine War – Savvy New World Marketers Are Devasting the French Wine Industry », *Business Week*, 3 septembre 2001.
122 Dehelly H., "Dans quelle mesure l'implantation dans le Languedoc du Groupe Robert Mondavi Corporation correspond-elle à une stratégie de repositionnement sur un marché à fort potentiel pour une valorisation croissante de la firme ?, mémoire, 9 mai 2001, Université de Rennes, p. 9.
123 Dehelly H., *op. cit.*, p. 14.
124 Monin J., « Remous dans l'Hérault autour de l'arrivée d'une société viticole américaine », *Le Monde*, 1er juin 2000.
125 Mondavi R., *Harvests of Joy*, Harcourt Brace & Company, 1998, p. 233.
126 Monin J., « Remous dans l'Hérault autour de l'arrivée d'une société viticole américaine », *Le Monde*, 1er juin 2000.
127 Ramon J., « Mondavi va créer un "vignoble d'exception" à Aniane », *Les Échos*, 27 avril 2000.
128 Yaouanc D., « Les ressorts de l'échec du projet Mondavi : une sociologie de mobilisations politiques sur le territoire d'Aniane », Mémoire de DEA « Politiques et action publique », sous la dir. de W. Genieys, 2003, 104 p.
129 Yaouanc D., *op. cit.*, 2003.
130 Cazal P., « Mondavi et les vignerons d'Aniane, des projets pour installer un vignoble haut de gamme », *Le Paysan du midi*, 25 mai 2000.
131 Yaouanc D., *op. cit.*, 2003.
132 www.saferlr.com
133 Riewer E., « Nous voulons rétablir l'image des vins du Languedoc », *Revue du Vin de France*, octobre 2000.
134 « Aniane : L'Affaire Mondavi », *Lettre M*, 16 mai 2000.
135 Yaouanc D., *op. cit.*, 2003.
136 Yaouanc D., *op. cit.*, 2003.
137 Yaouanc D., *op. cit.*, 2003.
138 Cazal P., « Mondavi et les vignerons d'Aniane, des projets pour installer un vignoble haut de gamme », *Le Paysan du midi*, 25 mai 2000.
139 Nappez P., « Faut-il avoir peur de l'américain Mondavi ? », *Midi Libre*, 6 juin 2000.
140 « Mobilisation en Languedoc contre l'arrivée du géant Mondavi », www.winewomanworld.com, 10 décembre 2000.
141 Delhaye E., « Vézinhet : Mondavi, tout le monde joue le jeu », *Midi Libre*, 17 octobre 2000.
142 Selon la typologie de Marchesnay M., « Les PME de terroir : entre "géo" et "clio" stratégies », *Entreprise et Histoire*, 2001.

143 Goutorbe C., « Aimé Guibert de la Vaissière : 'je suis un cul-terreux' », *Terre de Vins*, décembre 1999.
144 « Mondavi : un opposant à géométrie variable », *Lettre M*, 6 juin 2000.
145 *Lettre M*, 23 mai 2000.
146 Saverot D., « Si Mondavi pose un pied ici, je suis prêt à le poursuivre pendant 10 ans », *Revue du Vin de France*, octobre 2000.
147 Le Puill G. « La dernière tentation de Robert Mondavi », *L'Humanité*, 14 août 2000.
148 Dupont J., « L'ascension des terroirs », *Le Point*, 19 mai 2000.
149 Coignard S., « Les raisins de la colère », *Le Point*, 4 août 2000.
150 Gaston-Breton T., « Un nom, une marque : Mondavi », *Les Echos*, 10 août 2001.
151 Degionni B., « Un petit village du Languedoc résiste à la tentation américaine », *AFP International*, 8 mai 2001.
152 Yaouanc D., *op. cit.*, 2003.
153 Walt V., « In French wine village, much wrath over new grapes », *New York Times*, July 19, 2000.
154 Yaouanc D., *op. cit.*, 2003.
155 Dupont J., « L'ascension des terroirs », *Le Point*, 19 mai 2000.
156 Yaouanc D., *op. cit.*, 2003.
157 Yaouanc D., *op. cit.*, 2003.
158 Yaouanc D., *op. cit.*, 2003.
159 Yaouanc D., *op. cit.*, 2003.
160 « La France garde son terroir », *Laguinguette.com*, novembre 2001.
161 Galbrun C., « Lien au terroir : une assurance anti-délocalisation », *Réussir Vigne*, décembre 2003.
162 Yaouanc D., *op. cit.*, 2003.
163 Yaouanc D., *op. cit.*, 2003.
164 Degioanni B., « L'américain Mondavi n'est plus le bienvenu dans l'Hérault », *AFP Général*, 8 mai 2001.
165 Yaouanc D., *op. cit.*, 2003.
166 Servant J.M., « Aniane : un grand chelem pour Ruiz », *Midi Libre*, 8 mars 2001.
167 Servant J.M., « André Ruiz négocie les cantonales », *Midi Libre*, 13 mars 2001.
168 Maoudj K., « Mondavi, arbitre des municipales », *Midi Libre*, 1er février 2001.
169 Yaouanc D., *op. cit.*, 2003.
170 « Communist mayor forces US wine giant Mondavi out of Languedoc », *AFP World News International*, 17 mai 2001.
171 D'Iribarne P., Henry A., Segal J.P., Chevrier S., Globokar T., *Cultures et mondialisations : gérer par-delà les frontières*, Seuil, 1998 : 286.

© Dunod. La photocopie non autorisée est un délit

172 Baudry P.R., *Français Américains, l'autre rive*, Éditions Village Mondial, 2003.

173 Dubarry J.P., « Mondavi cède son activité de négoce de vins en Languedoc », *Écho du vignoble*, 21 août 2001.

174 Ramon J., « Les groupes américains continuent à s'intéresser aux vins du Languedoc », *Les Échos*, 11 mai 2004.

175 Frêche G., « Invitation aux voyages », éditorial, *Harmonie*, n° 209, juillet 2004, p. 3.

176 Maoudj K., « Mondavi : la réplique de Vézinhet », *Midi Libre*, 28 avril 2001.

177 Bruynooghe P., « L'américain Mondavi jette l'éponge à Aniane », *Midi libre*, 16 mai 2001.

178 Trubuil G., « Le dossier Mondavi secoue la majorité », *Midi Libre*, 22 mai 2001.

179 Yaouanc D., *op. cit.*, 2003.

180 Yaouanc D., *op. cit.*, 2003.

181 Lacan J.P. et Jones A., « Depardieu, le plus gaulois des français à la recherche d'un vin d'exception », *Midi Libre*, 5 septembre 2002.

182 Servant J.M., « Depardieu, prêt à acheter 5 à 7 hectares à Aniane », *Midi Libre*, 26 Septembre 2002.

183 Servant J.M., « Depardieu, prêt à acheter 5 à 7 hectares à Aniane », *Midi Libre*, 26 septembre 2002.

184 Servant J.M., « Depardieu : "À Aniane, c'est le vin qui va nous inspirer" », Spécial Vins, *Midi Libre*, 21 novembre 2002.

185 Édition spéciale *Midi Libre* « la sélection de terres de vins », 21 novembre 2002.

186 Baena C. et Pesme J.O., « William Pitters, Conquest of the World », *Bordeaux Business School*, 2003, 11 p.

187 Lacan J.P., « Depardieu demain a Aniane pour signer l'achat de 3 hectares », *Midi Libre*, 7 décembre 2002.

188 Yaouanc D., *op. cit.*, 2003.

189 Servant J.M., « Le Languedoc deviendra-t-il le vignoble du show-biz ? », *Midi Libre*, 20 décembre 2002.

190 Lacan J.P. et Jones A., « Depardieu, le plus gaulois des français à la recherche d'un vin d'exception », *Midi Libre*, 5 septembre 2002.

191 Martin F., « Georges Frêche : "Gare à ceux qui m'attaqueront sur les subventions" », *Midi Libre*, 24 juin 2004.

192 *La Gazette de Montpellier*, n° 844, 20-26 août 2004, p. 55.

193 Pagès F., « Georges Frêche : on dirait le Sud », *Le Canard Enchaîné*, 7 juillet 2004.

194 « Les vins de Septimanie : la polémique – la marque septimanienne prônée par la Région déchire les viticulteurs. », *La Gazette de Montpellier*, n° 837, juillet 2004.
195 « Les vins de Septimanie : la polémique » *La Gazette de Montpellier*, n° 837, juillet 2004.
196 Berthomeau J., « Comment mieux positionner les vins français sur les marchés d'exportation ? », Rapport remis à Jean Glavany, ministre français de l'agriculture, 11 juillet 2001, 80 p.
197 Berthomeau J., *op. cit.*, 2001, p. 73.
198 Genieys W., « Le retournement du Midi viticole », *Pôle Sud*, n° 9, nov. 1998, p. 21.
199 Yaouanc D., *op. cit.*, 2003.
200 Yaouanc D., *op. cit.*, 2003.
201 Cohen-Tanugi L., *Le droit sans l'Etat,* Presses Universitaires de France, 1985, p. 29.
202 Bizaguet A., *Les PME*, PUF, Que-sais-je, 1993, p. 31.
203 Selon Toulouse J.M (1979) cité par Verstraete T., *Essai sur la singularité de l'entrepreneuriat comme domaine de recherche*, Editions de l'ADREG, 2002, 120 p.
204 "*Global Entrepreneurship Monitor*" réunit les meilleurs experts mondiaux pour étudier les relations complexes entre l'entrepreneuriat et la croissance économique. Le représentant français du consortium GEM est l'EM Lyon.
205 Bizaguet A., *Les PME* , PUF, *Que-sais-je*, 1993, p. 31.
206 Fayolle A., « Dynamisme entrepreneurial et croissance économique : une comparaison France – États-Unis », p. 33-47 dans *Histoire d'entreprendre*, sous la dir. de Verstraete T., Editions Management et Sociét*é*, 2000, 297p.
207 Marchesnay M. et Messeghem K., *Cas de stratégie en PME*, Editions Management et société, 2001, p.24.
208 Revel J.F., *L'Obsession anti-américaine*, Éditions Plon, 2002, p. 98.
209 Baudry P.R., *Français Américains, l'autre rive* , Éditions Village Mondial, 2003.
210 Roger P., *L'ennemi américain : généalogie de l'antiaméricanisme français*, Le Seuil, 2002, 601 p.
211 Yaouanc D., *op. cit.*, 2003.
212 Galbrun C., « L'affaire Mondavi : le stetson contre le béret ? », *Réussir Vigne*, décembre 2003.
213 Yaouanc D., *op. cit.*, 2003.
214 Spawton A.L. et Forbes J.D., « Défis à venir pour l'industrie vitivinicole australienne », *Bulletin de l'OIV*, Paris, 1997.
215 Prodexport, « Mondialisation du vin : vins du nouveau monde, vins du pays de traditions viticoles, deux éthiques, deux discours, deux cultures », *The Mediterranean Trade Show*, New York, 6-7 février 2001, p. 7.

© Dunod. La photocopie non autorisée est un délit

216 Bartlett C., « Global Wine Wars : New World Challenges Old », *Harvard Business School*, Case 9-303-056, 2003, 24p.
217 Berthomeau J., *op. cit.*, 2001, p. 80
218 Gautier J.F., *La civilisation du vin* , Presses Universitaires de France, 2e édition, 1996, p. 116.
219 À l'exception de la maturation en copeaux dont il se défend.
220 Une fois encore, on voit bien ici une illustration du rôle de l'Etat et de la tendance à la protection. L'AOC est une forme de préservation des rentes de situation.
221 Dubourdieu F., *Les bons bordeaux – 1500 crus abordables*, Mollat/Balland, 2003, 191 p.
222 Prodexport, « Mondialisation du vin : vins du nouveau monde, vins du pays de traditions viticoles, deux éthiques, deux discours, deux cultures », *The Mediterranean Trade Show*, New York, 6-7 février 2001, 36 p.
223 Gilly J.P. et Pecqueur B., « Régulation des territoires et dynamiques institutionnelles de proximité : le cas de Toulouse et des Baronnies », p. 157, dans *Dynamiques de proximité*, Éditions l'Harmattan, 2000, 301p.
224 Couderc J.P. et Remaud H., "The wine sector in France : a tentative economic system description", *Wine Marketing Colloquium*, Adelaïde, Australie, 27-28 July 2003, 21p.
225 Couderc J.P., « Une approche de la création de valeur par la filière viti-vinicole française » dans *Bacchus 2005*, sous la dir. de F. d'Hauteville, E. Montaigne, J.P. Couderc et H. Hannin, Éditions Dunod, 2004.
226 Galbrun C., « Lien au terroir : une assurance anti-délocalisation », *Réussir Vigne*, décembre 2003.
227 Dubourdieu F., *Les Bons Bordeaux – 1 500 crus abordables*, Mollat/Balland, 2003, p. 13
228 Dubourdieu F., *Les Bons Bordeaux – 1 500 crus abordables*, Mollat/Balland, 2003, 191p.
229 « Lodève : un projet de circuit auto sur l'ancien site de la Cogema », *Les Échos*, 17 avril 2000.
230 Dans http://www.lemans-racing.com/interview
231 Monin J., « Deux projets contradictoires pour le lac du Salagou », *Le Monde*, 28 avril 2000.
232 Monin J., *op. cit.*
233 Bernard C., « Le Circuit Méditerranée cherche toujours ses marques à Lodève », *La Tribune*, 8 décembre 2000.
234 Jugement du Tribunal administratif de Montpellier, 18 novembre 2004, p. 9.
235 Carrière J., « Un coup sévère est porté au projet d'Odysseum », *Midi Libre*, 26 novembre 2004.

236 Schlama O., « Une macaronade anti-McDo à Sète », *Midi Libre*, 19 décembre 2004.
237 Schlama O., « Ne pas se laisser bouffer par la multinationale », *Midi Libre*, 29 novembre 2004.
238 www.environnement.wallonie.be/cgi/dgrne/nimby/nimby/pheno_nimby.asp
239 « Aniane : le communiste Manuel Diaz l'emporte sur le socialiste André Ruiz », *Midi Libre*, 19 mars 2001.
240 Maffesoli M., *Le temps des tribus*, Éditions de la Table Ronde, 2000, p. 234.
241 Dupont J., « L'ascension des terroirs », *Le Point*, 19 mai 2000.
242 Sedar A., « La mondialisation divise les viticulteurs languedociens », *Le Figaro*, 30 août 2001.
243 Le Puill G., « La dernière tentation de Robert Mondavi », *L'Humanité*, 14 août 2000.
244 Nappez F., « Faut-il avoir peur ou pas de l'américain Mondavi ? », *Midi Libre*, 6 juin 2000.
245 Fumey G., « Alimentation et terroir, un lien à recréer », *La Tribune*, 19 novembre 2004.
246 Berry M., « La recherche en gestion doit échapper aux standards américains », *Le Monde*, 31 mars 2004.
247 Berry M., « La recherche en gestion doit échapper aux standards américains », *Le Monde*, 31 mars 2004.
248 Berry M. et Ramanantsoa B., « La mondialisation – une crise d'identité pour les écoles de commerce », *Les débats de l'Ecole de Paris*, juin 2003, p. 7.
249 Établi par la Shanghai Jiao Tong University, le « classement de Shanghai » repose sur plusieurs critères objectifs et mesurables comme le nombre de Prix Nobel ou de médailles Fields en mathématiques parmi les anciens étudiants et le corps professoral, le nombre d'articles publiés par *Nature* et *Science*, le nombre d'articles publiés… (http ://ed.sjtu.edu.cn/rank).
250 Orivel F., « Pourquoi les universités françaises sont-elles si mal classées dans les palmarès internationaux ? », *Notes de l'IREDU*, Université de Bourgogne, 2004.
251 Beilharz P., "Mc Fascism ? Reading Ritzer, Bauman and the holocaust", p. 222-233 dans *Resisting McDonaldization*, B. Smart (ed), Sage publications, 261p.
252 Rémy V., « Du rififi chez Bacchus », *Télérama*, n° 2860, novembre 2004, p. 38.
253 Expression d'Aimé Guibert dans le film Mondovino.
254 Heilbrunn B., « Du fascisme des marques », *Le Monde*, 24 avril 2004.
255 Solow R., « L'économie entre empirisme et mathématisation », *Le Monde*, 3 janvier 2001.

© Dunod. La photocopie non autorisée est un délit

048869-(I)-(5)-OSB 100°-CP2-ABS

STEDI, 1, boulevard Ney, 75018 Paris
Dépôt légal, Imprimeur, n° 8506
Dépôt légal : février 2005
Imprimé en France